하루 10분 서술형 / 문장제 학습지

수학 독해

D1 자연수
초4~초5

수학독해 : 수학을 스스로 읽고 해결하다

객관식이나 간단한 단답형 문제는 자신 있는데 긴 문장이나 풀이 과정을 쓰라는 문제는 어려워하는 아이들이 있어요. 빠르고 정확하게 연산하고 교과 응용문제까지도 곧잘 풀어내지만, 문제 속 상황이 약간만 복잡해지면 문제를 풀려고도 하지 않는 아이들도 많아요. 이러한 아이들에게 부족한 것은 연산 능력이나 문제 해결력보다는 독해력과 표현력입니다. 특히 수학적 텍스트를 이해하고 표현하는 능력, 즉 수학 독해력이지요.

요즘 아이들의 독해력이 약해진 가장 큰 이유는 과거에 비해 이야기를 만나는 방식이 다양해졌기 때문이에요. 예전에는 대부분 말이나 글로써만 이야기를 접했어요. 텍스트 위주로 여러 가지 사건을 간접 체험하고, 머릿 속으로 상황을 그려내는 훈련이 자연스럽게 이루어졌지요. 반면 요즘 아이들은 글보다도 TV나 스마트폰 등 영상매체에 훨씬 빨리, 자주 노출되기에 글을 통해 상상을 할 필요가 점점 없어지게 되었습니다.

그렇다고 아이들에게 어렸을 때부터 영화나 애니메이션을 못 보게 하고 책만 읽게 하는 것은 바람직하지 않고, 가능하지도 않아요. 시각 매체는 그 자체로 많은 장점이 있기 때문에 지금의 아이들은 예전 세대에 비해 이미지에 대한 이해력과 적용력이 매우 뛰어나답니다. 문제는 아직까지 모든 학습과 평가 방식이 여전히 텍스트 위주이기 때문에 지금도 아이들에게 독해력이 중요하다는 점이에요. 그래서 저희는 영상 매체에는 익숙하지만 말이나 글에는 약한 아이들을 위한 새로운 수학 독해력 향상 프로그램인 씨투엠 수학독해를 기획하게 되었어요.

씨투엠 수학독해는 기존 문장제/서술형 교재들보다 더욱 쉽고 간단한 학습법을 보여주려 해요. 문제에 있는 문장과 표현 하나하나마다 따로 접근하여 아이들이 어려워하는 포인트를 찾고, 각 포인트마다 직관적인 활동을 통해 독해력과 표현력을 차근차근 끌어올리려고 합니다. 또한 문제 이해와 풀이 서술 과정을 단계별로 세세하게 나누어 문장제, 서술형 문제를 부담 없이 체계적으로 연습할 수 있어요. 새로운 문장제 학습법인 씨투엠 수학독해가 문장제 문제에 특히 어려움을 겪고 있거나 앞으로 서술형 문제를 좀 더 잘 대비하고 싶은 아이들에게 큰 도움이 될 것이라 자신합니다.

수학독해의 구성과 특징

- 매일 부담없이 2쪽씩, 하루 10분 문장제 학습
- 매주 5일간 단계별 활동, 6일차는 중요 문장제 확인학습
- 5회분의 진단평가로 테스트 및 복습

주차별 구성

일일학습

꼬마 수학자들의
간단한 팁과 함께
매일 새롭게 만나는
단계별 문장제 활동

확인학습

중요 문장제 활동을
다시 한번 확인하며
주차 학습 마무리

1주차	1일	2일	3일	4일	5일	확인학습
	6쪽 ~ 7쪽	8쪽 ~ 9쪽	10쪽 ~ 11쪽	12쪽 ~ 13쪽	14쪽 ~ 15쪽	16쪽 ~ 18쪽

2주차	1일	2일	3일	4일	5일	확인학습
	20쪽 ~ 21쪽	22쪽 ~ 23쪽	24쪽 ~ 25쪽	26쪽 ~ 27쪽	28쪽 ~ 29쪽	30쪽 ~ 32쪽

3주차	1일	2일	3일	4일	5일	확인학습
	34쪽 ~ 35쪽	36쪽 ~ 37쪽	38쪽 ~ 39쪽	40쪽 ~ 41쪽	42쪽 ~ 43쪽	44쪽 ~ 46쪽

4주차	1일	2일	3일	4일	5일	확인학습
	48쪽 ~ 49쪽	50쪽 ~ 51쪽	52쪽 ~ 53쪽	54쪽 ~ 55쪽	56쪽 ~ 57쪽	58쪽 ~ 60쪽

진단평가 구성

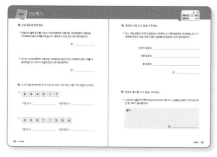

진단평가

4주 간의 문장제 학습에서 부족한 부분을
확인하고 복습하기 위한 자가 진단 테스트

진단평가	1회	2회	3회	4회	5회
	62쪽 ~ 63쪽	64쪽 ~ 65쪽	66쪽 ~ 67쪽	68쪽 ~ 69쪽	70쪽 ~ 71쪽

이 책의 차례

✿ 알맞은 수를 쓰고 읽어 보세요.

⭐ 10000이 2개, 1000이 4개, 100이 5개, 1이 3개인 수는 ___24503___ 이고,

___이만 사천오백삼___ (이)라고 읽습니다.

만	천	백	십	일
2	4	5	0	3

① 10000이 1개, 1000이 4개, 100이 6개, 1이 5개인 수는 _____ 이고,

_____ (이)라고 읽습니다.

② 10000이 3개, 1000이 2개, 10이 8개, 1이 7개인 수는 _____ 이고,

_____ (이)라고 읽습니다.

③ 10000이 2개, 100이 4개, 1이 8개인 수는 _____ 이고,

_____ (이)라고 읽습니다.

④ 10000이 5개, 1000이 3개, 100이 2개, 10이 1개인 수는 _____ 이고,

_____ (이)라고 읽습니다.

🌸 다음 물음에 답하세요.

✪ 자현이는 10000원짜리 지폐 3장, 1000원짜리 지폐 6장, 100원짜리 동전 5개, 10원짜리 동전 7개를 가지고 있습니다. 자현이가 가진 돈은 모두 얼마일까요?

만	천	백	십	일
3	6	5	7	0

답 : __36570원__

① 선우는 10000원짜리 지폐 8장, 1000원짜리 지폐 2장, 100원짜리 동전 5개를 모았습니다. 선우가 모은 돈은 모두 얼마일까요?

답 : _____

② 마트에서 장을 보고 10000원짜리 지폐 4장, 1000원짜리 지폐 7장, 10원짜리 동전 15개를 냈습니다. 마트에서 낸 돈은 모두 얼마일까요?

답 : _____

③ 저금통에 1000원짜리 지폐 27장, 100원짜리 동전 9개, 10원짜리 동전 2개가 들어 있습니다. 저금통에 들어 있는 돈은 모두 얼마일까요?

답 : _____

설명하는 수를 자리에 맞게 써 보세요.

✪ 100만이 5개, 10만이 3개, 만이 8개인 수

천만	백만	십만	만	천	백	십	일
	5	3	8	0	0	0	0

① 1000만이 1개, 100만이 3개, 10만이 6개인 수

② 1000만이 4개, 100만이 1개, 10만이 9개, 만이 5개인 수

③ 100만이 2개, 만이 43개, 천이 5개인 수

④ 10만이 70개, 만이 8개, 천이 3개인 수

만의 I0배는 십만, 십만의 I0배는 백만, 백만의 I0배는 천만이야.

 다음 물음에 답하세요.

☆ 은행에서 1000만 원짜리 수표 2장, 100만 원짜리 수표 5장, 10만 원짜리 수표 7장, 만 원짜리 지폐 3장을 찾았습니다. 은행에서 찾은 돈은 모두 얼마일까요?

천만	백만	십만	만	천	백	십	일
2	5	7	3	0	0	0	0

답 : __25730000원__

① 연희네 학교에서 모은 이웃 돕기 성금을 만 원짜리 지폐로 바꾸었더니 362장이었습니다. 연희네 학교에서 모은 성금은 모두 얼마일까요?

답 : _____

② 금고에 100만 원짜리 수표 18장, 만 원짜리 지폐 90장이 들어 있습니다. 금고에 들어 있는 돈은 모두 얼마일까요?

답 : _____

③ 마트에서 장을 보고 10만 원짜리 상품권 3장, 만 원짜리 지폐 12장, 천 원짜리 지폐 5장을 냈습니다. 장을 본 금액은 모두 얼마일까요?

답 : _____

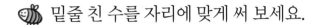 밑줄 친 수를 자리에 맞게 써 보세요.

⭐ 태양은 지구에서 약 <u>1억 4960만</u> km 떨어져 있습니다.

			억				만				
			1	4	9	6	0	0	0	0	0

① 2020년 기준 전 세계 인구수는 약 <u>77억 9479만 9000</u>명입니다.

② 1000년의 시간을 초로 나타내면 약 <u>315억 3600만</u> 초입니다.

③ 2018년 미국의 1년 국가예산은 약 <u>4조 940억</u> 달러입니다.

④ 지웅이의 몸 속에 있는 세포 수는 약 <u>37조 2000억</u> 개입니다.

🐝 주어진 수를 조, 억, 만으로 끊어서 나타내어 보세요.

☆ 일본의 인구수 : 1²²2647⁶461명

일본의 인구수 : **1억 2647만 6461명**

① 러시아의 국토면적 : 17098250000000 ㎡

러시아의 국토면적 : _____

② 어느 도시의 1년 예산 : 143574278000원

어느 도시의 1년 예산 : _____

③ 브라질의 국내총생산 : 1868626087908달러

브라질의 국내총생산 : _____

④ 한국의 국방예산 : 50201364000000원

한국의 국방예산 : _____

몇 배의 금액

🪙 밑줄 친 곳에 알맞은 금액을 써넣으세요.

✪ 1만 원의 10배는 _____**10만 원**_____ 입니다.

10000 → 100000 (10배)

① 100만 원의 10배는 _____ 입니다.

② 100만 원의 100배는 _____ 입니다.

③ 1억 원의 100배는 _____ 입니다.

④ 1만 원의 2000배는 _____ 입니다.

⑤ 10만 원의 30000배는 _____ 입니다.

⑥ 10만 원의 4500배는 _____ 입니다.

수에 0을 1개 붙이면 수가 10배로 커져. 2개 붙이면 100배이지.

🐞 다음 물음에 답하세요.

✪ 금고에 만 원짜리 지폐 1000장이 들어 있습니다. 금고에 들어 있는 돈은 모두 얼마일까요?

1000배
10000 ➡ 10000000

답 : __1000만 원__

① 은행에서 1000만 원짜리 수표 10장을 찾았습니다. 은행에서 찾은 돈은 모두 얼마일까요?

답 : _____

② 환경 보호 기금으로 만 원짜리 지폐 5000장을 모았습니다. 환경 보호 기금으로 모은 돈은 모두 얼마일까요?

답 : _____

③ 백화점에서 100만 원짜리 상품권을 720장 샀습니다. 백화점에서 산 상품권은 모두 얼마어치일까요?

답 : _____

✿ 밑줄 친 곳에 알맞은 수를 써넣으세요.

☆ 1억 원은 10000원의 ___1만___ 배입니다.

10000배
10000 ➡ 100000000

① 1억 원은 100만 원의 _____ 배입니다.

② 1억 원은 10만 원의 _____ 배입니다.

③ 10억 원은 1000만 원의 _____ 배입니다.

④ 2000억 원은 1억 원의 _____ 배입니다.

⑤ 7조 원은 1000억 원의 _____ 배입니다.

⑥ 3600만 원은 10만 원의 _____ 배입니다.

몇 배인지 알려면 오른쪽 끝에서부터 센 0의 개수를 비교해야 해.

🌸 다음 물음에 답하세요.

⭐ 은행에 예금한 돈 10억 원을 모두 100만 원짜리 수표로 찾으려고 합니다. 100만 원짜리 수표 몇 장으로 찾을 수 있을까요?

1000000 $\xrightarrow{\text{1000배}}$ 1000000**000**

답 : **1000장**

① 1000억 원짜리 수표로 1조 원을 만들려고 합니다. 1000억 원짜리 수표는 모두 몇 장 필요할까요?

답 : _____

② 은행에 예금한 돈 4000만 원을 모두 10000원짜리 지폐로 찾으려고 합니다. 10000원짜리 지폐 몇 장으로 찾을 수 있을까요?

답 : _____

③ 10만 원짜리 수표로 1억 5천만 원을 만들려고 합니다. 10만 원짜리 수표는 모두 몇 장 필요할까요?

답 : _____

✏️ 알맞은 수를 쓰고 읽어 보세요.

① 10000이 4개, 1000이 8개, 10이 9개, 1이 6개인 수는 _____ 이고,

_____ (이)라고 읽습니다.

② 10000이 6개, 10이 9개, 1이 5개인 수는 _____ 이고,

_____ (이)라고 읽습니다.

✏️ 다음 물음에 답하세요.

③ 은행에 10만 원짜리 수표 6장, 만 원짜리 지폐 7장, 천 원짜리 지폐 5장을 맡겼습니다. 은행에 맡긴 돈은 모두 얼마일까요?

답 : _____

④ 백화점에서 100만 원짜리 상품권 12장, 10만 원짜리 상품권 6장, 만 원짜리 상품권 8장을 샀습니다. 백화점에서 산 상품권은 모두 얼마어치일까요?

답 : _____

✎ 주어진 수를 조, 억, 만으로 끊어서 나타내어 보세요.

⑤ 중국의 인구수 : 1439323776명

  중국의 인구수 : _____

⑥ 미국의 국내총생산 : 20494099845390달러

  미국의 국내총생산 : _____

✎ 밑줄 친 곳에 알맞은 금액을 써넣으세요.

⑦ 1000만 원의 10배는 _____ 입니다.

⑧ 100만 원의 1000배는 _____ 입니다.

⑨ 1만 원의 3250배는 _____ 입니다.

✎ 다음 물음에 답하세요.

⑩ 10억 원짜리 수표로 1000억 원을 만들려고 합니다. 10억 원짜리 수표는 모두 몇 장 필요할까요?

답 : _____

⑪ 은행에 예금한 돈은 3억 9천만 원입니다. 100만 원짜리 수표로만 돈을 찾는다면 모두 몇 장을 찾을 수 있을까요?

답 : _____

⑫ 이웃 돕기 성금으로 모은 돈 100억 원을 모두 1000만 원짜리 수표로 바꾸려고 합니다. 1000만 원짜리 수표 몇 장으로 바꿀 수 있을까요?

답 : _____

⑬ 은행에 예금한 돈 2억 7000만 원을 모두 10만 원짜리 수표로 찾으려고 합니다. 10만 원짜리 수표 몇 장으로 찾을 수 있을까요?

답 : _____

2주차

뛰어 세기

🌸 다음 물음에 답하세요.

☆ 15만에서 10만씩 3번 뛰어 센 수는 얼마일까요?

15만 ─ 25만 ─ 35만 ─ 45만

답 : __45만__

① 3520만에서 100만씩 4번 뛰어 센 수는 얼마일까요?

답 : _____

② 1억 7800만에서 1000만씩 5번 뛰어 센 수는 얼마일까요?

답 : _____

③ 36억에서 3억씩 4번 뛰어 센 수는 얼마일까요?

답 : _____

④ 4조 50억에서 200억씩 6번 뛰어 센 수는 얼마일까요?

답 : _____

십만씩 뛰어 세면 십만의 자리 숫자가 1씩 커지지.

🌸 다음 물음에 답하세요.

☆ 종민이는 매달 10만 원씩 저금하기로 했습니다. 종민이가 4달 동안 저금한 금액은 모두 얼마가 될까요?

10만 ─ 20만 ─ 30만 ─ 40만

답 : _____40만 원_____

① 혜진이는 하루에 10000걸음씩 걸으려고 합니다. 혜진이가 6일 동안 걷는 걸음은 몇 걸음일까요?

답 : _____

② 수혁이의 통장에는 27만 원이 있습니다. 앞으로 매달 3만 원씩 저금한다면 3달 후에 수혁이의 통장에는 얼마가 있을까요?

답 : _____

③ 어느 회사의 2019년 매출은 32억 5000만 원이었습니다. 이 회사의 매출이 1년에 5억 원씩 늘어난다면 2023년의 매출은 얼마일까요?

답 : _____

🐾 다음 물음에 답하세요.

⭐ 어떤 수에서 100만씩 4번 뛰어 센 수가 700만이었습니다. 어떤 수는 얼마일까요?

300만 ─ 400만 ─ 500만 ─ 600만 ─ 700만

답 : __300만__

① 어떤 수에서 10만씩 3번 뛰어 센 수가 4320만이었습니다. 어떤 수는 얼마일까요?

답 : _____

② 어떤 수에서 10억씩 5번 뛰어 센 수가 67억 8000만이었습니다. 어떤 수는 얼마일까요?

답 : _____

③ 어떤 수에서 2000만씩 6번 뛰어 센 수가 2억 4000만이었습니다. 어떤 수는 얼마일까요?

답 : _____

④ 어떤 수에서 3조씩 4번 뛰어 센 수가 20조 3000억이었습니다. 어떤 수는 얼마일까요?

답 : _____

뛰어 세기 전의 원래 수를 구하려면 거꾸로 뛰어 세면 돼.

🎨 다음 물음에 답하세요.

☆ 연수네 가족이 매달 100만 원씩 적금을 넣었더니 8월에 적금 통장에 있는 금액이 1400만 원이 되었습니다. 5월에 적금 통장에 있던 금액은 얼마였을까요?

1100만 — 1200만 — 1300만 — 1400만
5월   6월   7월   8월

답 : ___1100만 원___

① 어느 도시의 인구가 매년 2만 명씩 늘어서 2020년에 345000명이 되었습니다. 이 도시의 2015년 인구는 몇 명이었을까요?

답 : _____

② 진우가 사는 아파트의 가격은 매년 1000만 원씩 올라서 현재 4억 1500만 원입니다. 이 아파트의 6년 전 가격은 얼마였을까요?

답 : _____

③ 수조에 사는 미생물이 하루에 20만 마리씩 늘어난다고 합니다. 어느 날 수조에 사는 미생물이 735만 마리였다면 4일 전에는 몇 마리였을까요?

답 : _____

🐝 다음 물음에 답하세요.

⭐ 250만에서 100만씩 뛰어 센 수가 650만이었습니다. 100만씩 몇 번 뛰어 세었을까요?

답 : __4번__

① 20만에서 5만씩 뛰어 센 수가 35만이었습니다. 5만씩 몇 번 뛰어 세었을까요?

답 : _____

② 4억 5000만에서 5000만씩 뛰어 센 수가 7억이었습니다. 5000만씩 몇 번 뛰어 세었을까요?

답 : _____

③ 503억에서 10억씩 뛰어 센 수가 563억이었습니다. 10억씩 몇 번 뛰어 세었을까요?

답 : _____

④ 2조 8000억에서 1000억씩 뛰어 센 수가 3조 4000억이었습니다. 1000억씩 몇 번 뛰어 세었을까요?

답 : _____

뛰어 센 횟수를 구하면 계획에 필요한 시간을 알 수 있어.

🐝 다음 물음에 답하세요.

✪ 수아네 가족이 가족 여행을 위해 매달 10만 원씩 모으려고 합니다. 가족 여행에 필요한 비용이 50만 원일 때 수아네 가족은 몇 달 동안 돈을 모아야 할까요?

답 : __5달__

① 자민이는 매일 유산균을 1억 5000만 마리씩 먹어 총 6억 마리를 먹으려고 합니다. 자민이는 유산균을 며칠 동안 먹어야 할까요?

답 : _____

② 인형 공장에 만들어 놓은 인형이 75만 개 있습니다. 하루에 5만 개씩 생산하여 인형 100만 개를 납품하려면 며칠이 걸릴까요?

답 : _____

③ 지구에서 태양까지의 거리는 1억 5000만 km입니다. 한 달에 2500만 km를 가는 우주선을 타고 태양에서 5000만 km 떨어진 지점까지 가려면 몇 달이 걸릴까요?

답 : _____

🛸 다음 물음에 답하세요.

⭐ 브라질의 인구는 212559417명이고, 인도네시아의 인구는 273523615명입니다.
두 나라 중 인구가 더 적은 나라는 어디일까요?

212559417 < 273523615

답 : __브라질__

① 영화 '라이온 킹'의 흥행 성적은 968483777달러이고, '주토피아'의 흥행 성적은
1023784195달러입니다. 두 영화 중 흥행 성적이 더 좋은 영화는 무엇일까요?

답 : _____

② 콜롬비아의 면적은 1138914제곱킬로미터이고, 탄자니아의 면적은 945087제곱
킬로미터입니다. 두 나라 중 면적이 더 넓은 나라는 어디일까요?

답 : _____

③ 목성의 지름은 1억 3982만 m이고, 토성의 지름은 1억 1646만 m입니다. 두 행성
중 크기가 더 작은 행성은 무엇일까요?

답 : _____

큰 수의 크기를 비교
할 때는 먼저 각 수가
몇 자리인지 세어 봐.

🍪 0부터 9까지의 수 중 □ 안에 들어갈 수 있는 수를 모두 써 보세요.

⭐

134062 < 1□3315

134062 > 133315
134062 < 143315

답 : 4, 5, 6, 7, 8, 9

①

43□0813 > 4357387

답 : _____

②

29432325 > 294□2170

답 : _____

③

3024□7805 < 302454093

답 : _____

🌼 수 카드를 한 번씩만 써서 가장 큰 수와 가장 작은 수를 각각 만들어 보세요.

☆ | 3 | 1 | 0 | 5 | 4 |

가장 큰 수 : ___54310___   가장 작은 수 : ___10345___

① | 1 | 6 | 4 | 7 | 9 | 3 |

가장 큰 수 : _____   가장 작은 수 : _____

② | 2 | 0 | 3 | 5 | 7 | 8 | 1 |

가장 큰 수 : _____   가장 작은 수 : _____

③ | 6 | 9 | 4 | 3 | 1 | 5 | 2 | 0 |

가장 큰 수 : _____   가장 작은 수 : _____

✿ 수 카드로 큰 수를 만들려고 합니다. 물음에 답하세요.

☘ 수 카드를 한 번씩만 사용하여 여섯 자리 수를 만들려고 합니다. 만들 수 있는 수 중에서 천의 자리가 8인 가장 작은 수를 구하세요.

| 2 | 4 | 8 | 1 | 7 | 3 |

□□8□□□ ➡ 128347

답 : __128347__

① 수 카드를 한 번씩만 사용하여 일곱 자리 수를 만들려고 합니다. 만들 수 있는 수 중에서 십만의 자리가 7인 가장 큰 수를 구하세요.

| 4 | 2 | 1 | 0 | 3 | 7 | 5 |

답 : _____

② 수 카드를 한 번씩만 사용하여 여덟 자리 수를 만들려고 합니다. 만들 수 있는 수 중에서 만의 자리가 0인 가장 작은 수를 구하세요.

| 7 | 8 | 0 | 2 | 1 | 4 | 6 | 3 |

답 : _____

✏️ 다음 물음에 답하세요.

① 375만에서 10만씩 4번 뛰어 센 수는 얼마일까요?

답 : _____

② 78억 5000만에서 5000만씩 6번 뛰어 센 수는 얼마일까요?

답 : _____

✏️ 다음 물음에 답하세요.

③ 형주가 매주 2만 원씩 저금을 했더니 통장에 있는 금액이 51만 5000원이 되었습니다. 5주 전에 통장에 있던 금액은 얼마였을까요?

답 : _____

④ 어느 도시의 1년 예산이 매년 10억 원씩 늘어나 2020년에는 438억 원이 되었습니다. 이 도시의 2017년 예산은 얼마였을까요?

답 : _____

✎ 다음 물음에 답하세요.

⑤ 165만에서 10만씩 뛰어 센 수가 235만이었습니다. 10만씩 몇 번 뛰어 세었을까요?

답 : _____

⑥ 1425억에서 100억씩 뛰어 센 수가 1925억이었습니다. 100억씩 몇 번 뛰어 세었을까요?

답 : _____

✎ 다음 물음에 답하세요.

⑦ 고양시의 인구는 1068641명이고, 용인시의 인구는 1061440명입니다. 두 도시 중 인구가 더 많은 도시는 어디일까요?

답 : _____

⑧ 호주의 국민총생산은 1조 4321억 9500만 달러이고, 스페인의 국민총생산은 1조 4261억 8900만 달러입니다. 두 나라 중 국민총생산이 더 적은 나라는 어디일까요?

답 : _____

✎ 수 카드로 큰 수를 만들려고 합니다. 물음에 답하세요.

⑨ 수 카드를 한 번씩만 사용하여 다섯 자리 수를 만들려고 합니다. 만들 수 있는 수 중에서 두 번째로 작은 수를 구하세요.

| 1 | 0 | 4 | 9 | 5 |

답 : _____

⑩ 수 카드를 한 번씩만 사용하여 일곱 자리 수를 만들려고 합니다. 만들 수 있는 수 중에서 백의 자리가 2인 가장 작은 수를 구하세요.

| 7 | 3 | 4 | 5 | 8 | 6 | 2 |

답 : _____

⑪ 수 카드를 한 번씩만 사용하여 여덟 자리 수를 만들려고 합니다. 만들 수 있는 수 중에서 백만의 자리가 5인 가장 큰 수를 구하세요.

| 6 | 5 | 0 | 8 | 4 | 7 | 9 | 3 |

답 : _____

3주차

곱셈

🌸 세로셈 식을 완성하고 밑줄 친 곳에 알맞은 수를 구하세요.

✪ 345 곱하기 40은 <u>13800</u> 입니다.

		1	2	
		3	4	5
	×		4	0
1	3	8	0	0

① 275 곱하기 20은 _____ 입니다.

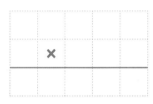

② 413씩 50묶음은 _____ 입니다.

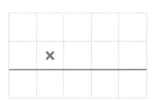

③ 307의 80배는 _____ 입니다.

(몇십)을 곱한 값은
(몇)을 곱한 값에 0을 하나
더 붙인 것과 같아.

알맞은 식을 쓰고 답을 구하세요.

✪ 무게가 495 g인 책이 30권 있습니다. 책의 무게는 모두 몇 g일까요?

식 : 495×30=14850　　　답 : 14850 g

(책의 총 무게)
= (책 한 권의 무게) × (권 수)

① 방울토마토가 한 상자에 685개 들어 있습니다. 20상자에 들어 있는 방울토마토는 모두 몇 개일까요?

식 : ______________________　　　답 : ______________

② 세람이는 매일 줄넘기를 130번 넘었습니다. 60일 동안 넘은 줄넘기는 모두 몇 번일까요?

식 : ______________________　　　답 : ______________

③ 한 캔에 355 mL가 들어 있는 음료수가 40캔 있습니다. 음료수는 모두 몇 mL 있을까요?

식 : ______________________　　　답 : ______________

(세 자리 수)×(두 자리 수)(1)

🎨 세로셈 식을 완성하고 밑줄 친 곳에 알맞은 수를 구하세요.

⭐ 365씩 48묶음은 ___17520___ 입니다.

		3	6	5
	×		4	8
		2	9	2	0
	1	4	6	0	
	1	7	5	2	0

365×8=2920
365×40=14600

① 198의 37배는 _____ 입니다.

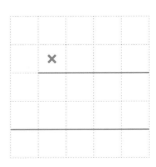

② 516 곱하기 25는 _____ 입니다.

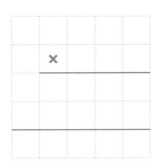

③ 603씩 19묶음은 _____ 입니다.

두 자리) × (세 자리)는
(세 자리) × (두 자리)로
바꾸는 것이 간단해.

✏️ 알맞은 식을 쓰고 답을 구하세요.

⭐ 한 시간에 315 km를 가는 고속 열차가 있습니다. 이 열차가 12시간 동안 가는 거리는 모두 몇 km일까요?

식 : $315 \times 12 = 3780$ 답 : 3780 km

(열차가 가는 총 거리)

= (한 시간 동안 열차가 가는 거리) × (시간)

① 야구장의 한 구역에 관중 455명이 앉을 수 있습니다. 야구장에 있는 구역이 모두 28개일 때, 야구장에 들어갈 수 있는 관중은 모두 몇 명일까요?

식 : _____   답 : _____

② 유리병에 사탕이 75개씩 들어 있습니다. 유리병 209개에 들어 있는 사탕은 모두 몇 개일까요?

식 : _____   답 : _____

③ 지현이는 매일 물을 935 mL씩 마시려고 합니다. 지현이가 4주 동안 마시는 물의 양은 몇 mL일까요?

식 : _____   답 : _____

🐝 알맞은 풀이를 쓰고 답을 구하세요.

✪ 한 대에 40명까지 탈 수 있는 버스가 있습니다. 이 버스 182대에 탈 수 있는 사람은 모두 몇 명일까요?

> 풀이 : (탈 수 있는 총 사람 수)
> = (한 대에 탈 수 있는 사람 수) × (버스 수)
> = 40 × 182 = 7280(명)
>
> 답 : ___7280명___

① 한 팩에 255 mL가 들어 있는 우유 38팩을 샀습니다. 산 우유는 모두 몇 mL일까요?

> 풀이 :
>
> 답 : _____

② 한 권이 188쪽까지 있는 만화책이 24권 있습니다. 만화책은 모두 몇 쪽일까요?

> 풀이 :
>
> 답 : _____

③ 두부 한 모의 무게는 320 g입니다. 두부 65모의 무게는 모두 몇 g일까요?

풀이 :

답 : _____

④ 사과 1개의 가격은 950원입니다. 사과 54개를 사는 데 필요한 금액은 모두 얼마일까요?

풀이 :

답 : _____

⑤ 길이가 48 cm인 막대 자가 있습니다. 이 막대 자 157개를 겹치지 않게 길게 이어 붙인 길이는 몇 cm일까요?

풀이 :

답 : _____

곱셈의 활용(1)

🧠 알맞은 식을 쓰고 답을 구하세요.

⭐ 문구점에서 하나에 450원짜리 지우개 16개와 하나에 780원짜리 딱풀 20개를 샀습니다. 문구점에서 쓴 금액은 모두 얼마일까요?

지우개를 산 금액 : $450×16=7200$

딱풀을 산 금액 : $780×20=15600$

총 쓴 금액 : $7200+15600=22800$

답 : 22800원

① 수학 교과서의 무게는 560 g이고, 수학 익힘책의 무게는 486 g입니다. 수학 교과서 12권, 수학 익힘책 15권의 무게의 합은 몇 g일까요?

수학 교과서의 무게 : _____

수학 익힘책의 무게 : _____

총 무게 : _____

답 : _____

② 명지네 집에서 학교까지의 거리는 2500 m입니다. 명지가 집에서 출발하여 1분
에 135 m씩 14분을 걸어왔다면 학교까지 남은 거리는 몇 m일까요?

집에서 학교까지의 거리 : _____

명지가 걸어온 거리 : _____

남은 거리 : _____

답 : _____

③ 사과가 한 상자에 132개씩 25상자가 있고, 배는 한 상자에 85개씩 43상자가 있습
니다. 배는 사과보다 몇 개 더 많을까요?

사과의 수 : _____

배의 수 : _____

두 과일 수의 차 : _____

답 : _____

곱셈의 활용(2)

✿ 알맞은 풀이를 쓰고 답을 구하세요.

⭐ 현호가 삼촌에게 용돈 ⟨10000⟩원을 받았습니다. 현호는 그 돈으로 한 자루에 ⟨400⟩원짜리 연필 18자루를 샀습니다. 현호에게 남은 돈은 얼마일까요?

풀이 : (현호가 받은 용돈) = 10000원

(연필을 산 금액) = 400 × 18 = 7200(원)

(남은 금액)

= 10000 - 7200 = 2800(원)

답 : _____2800원_____

① 한 팩에 250 mL가 들어 있는 우유 15팩, 한 캔에 355 mL가 들어 있는 주스 24캔이 있습니다. 우유와 주스는 모두 몇 mL일까요?

풀이 :

답 : _____

② 한 권에 180쪽짜리 만화책이 25권까지 있습니다. 성우가 이 만화책을 하루에 120쪽씩 4주 동안 읽었습니다. 성우가 더 읽어야 하는 만화책은 몇 쪽일까요?

풀이 :

답 : _____

③ 냉면집에서 한 봉지에 570 g이 들어 있는 밀가루 14봉지, 한 봉지에 480 g이 들어 있는 메밀가루 55봉지를 사용했습니다. 냉면집에서 사용한 밀가루와 메밀가루는 모두 몇 g일까요?

풀이 :

답 : _____

✏️ 알맞은 식을 쓰고 답을 구하세요.

① 연필 한 자루의 가격은 870원입니다. 연필 50자루의 가격은 모두 얼마일까요?

식 : _____ 답 : _____

② 한 바퀴의 길이가 725 m인 공원이 있습니다. 주원이가 이 공원을 걸어서 20바퀴 돌았다면 모두 몇 m를 걸었을까요?

식 : _____ 답 : _____

✏️ 알맞은 식을 쓰고 답을 구하세요.

③ 선물 상자 하나를 포장하는 데 포장 끈이 43 cm 필요합니다. 선물 상자 188개를 포장하는 데 필요한 포장 끈은 모두 몇 cm일까요?

식 : _____ 답 : _____

④ 현태는 하루에 680원씩 저금통에 넣으려고 합니다. 현태가 45일 동안 모을 수 있는 돈은 모두 얼마일까요?

식 : _____ 답 : _____

✏️ 알맞은 풀이를 쓰고 답을 구하세요.

⑤ 창호는 한 달 동안 우표 125장을 모으려고 합니다. 창호가 12달 동안 모을 수 있는 우표는 모두 몇 장일까요?

풀이 :

답 : _____

⑥ 과자를 한 봉지에 168개씩 넣었습니다. 40봉지에 들어 있는 과자는 모두 몇 개일까요?

풀이 :

답 : _____

⑦ 기차 차량 한 칸에 승객 220명이 탈 수 있습니다. 차량 14칸이 연결된 기차에 탈 수 있는 승객은 모두 몇 명일까요?

풀이 :

답 : _____

✎ 알맞은 풀이를 쓰고 답을 구하세요.

⑧ 수연이는 500원짜리 동전 27개와 50원짜리 동전 118개를 가지고 있습니다. 수연이가 가진 돈은 모두 얼마일까요?

풀이 :

답 : _____

⑨ 한 바퀴의 길이가 250m인 트랙을 민진이는 19바퀴 돌았고, 원희는 27바퀴 돌았습니다. 원희는 민진이보다 몇 m를 더 돌았을까요?

풀이 :

답 : _____

4주차

나눗셈

나머지가 없는 나눗셈

🌸 세로셈 식을 완성하고 밑줄 친 곳에 알맞은 수를 구하세요.

✪ 210을 30으로 나눈 몫은 ___7___ 입니다.

```
          7
3 0 ) 2 1 0
      2 1 0
            0
```

① 189를 21로 나눈 몫은 _____ 입니다.

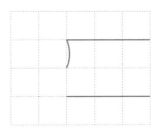

② 360을 24로 나눈 몫은 _____ 입니다.

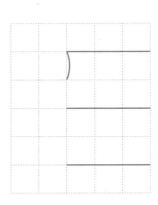

③ 432를 16으로 나눈 몫은 _____ 입니다.

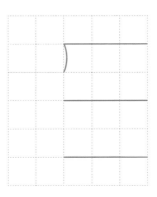

나머지가 0이 되는 상황을 나누어 떨어진다고 말해.

✿ 알맞은 식을 쓰고 답을 구하세요.

☆ 태웅이가 320쪽인 소설책을 매일 40쪽씩 읽으려고 합니다. 소설책을 다 읽는 데 며칠이 걸릴까요?

식 : _____320÷40=8_____   답 : _____8일_____

(소설책을 다 읽는 데 걸리는 날수)
= (소설책의 쪽수) ÷ (하루에 읽는 쪽수)

① 딸기 720개를 한 상자에 30개씩 나누어 담았습니다. 모두 몇 상자에 나누어 담았을까요?

식 : _____   답 : _____

② 연필 242자루를 11명에게 똑같이 나누어 주려고 합니다. 한 사람에게 몇 자루씩 나누어 줄 수 있을까요?

식 : _____   답 : _____

③ 한 대에 42명까지 탈 수 있는 버스에 학생 630명이 모두 타려고 합니다. 버스는 몇 대 필요할까요?

식 : _____   답 : _____

나머지가 있는 나눗셈(1)

🎲 세로셈 식을 완성하고 밑줄 친 곳에 알맞은 수를 구하세요.

⭐ 412를 50으로 나눈 몫은 ___8___ 이고,

나머지는 ___12___ 입니다.

```
        8
5 0 ) 4 1 2
      4 0 0
          1 2
```

① 225를 36으로 나눈 몫은 _____ 이고,

나머지는 _____ 입니다.

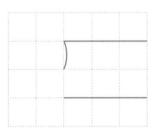

② 530을 23으로 나눈 몫은 _____ 이고,

나머지는 _____ 입니다.

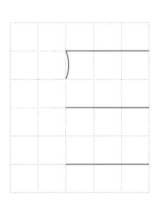

③ 486을 31로 나눈 몫은 _____ 이고,

나머지는 _____ 입니다.

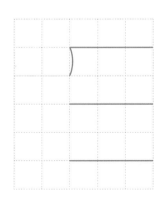

계산한 몫의 단위와
나머지의 단위가
다를 수도 있어.

🎲 알맞은 식을 쓰고 답을 구하세요.

☆ 선물 하나를 포장하는 데 끈이 60 cm 필요합니다. 끈 556 cm로 선물을 몇 개 포장할 수 있고, 남는 끈의 길이는 몇 cm일까요?

식 : $556 \div 60 = 9 \cdots 16$ 답 : 9개, 16 cm

(전체 끈의 길이) ÷ (선물 하나에 필요한 끈의 길이)

= 556 ÷ 60 = 9 ⋯ 16

포장할 수 있는 선물: 9개, 남는 끈의 길이: 16 cm

① 책 425권을 책꽂이 한 칸에 30권씩 꽂으려고 합니다. 책은 모두 몇 칸에 꽂을 수 있고, 남는 책은 몇 권일까요?

식 : _____   답 : _____

② 장미 342송이를 꽃병 12개에 똑같이 나누어 꽂으려고 합니다. 한 꽃병에 최대 몇 송이씩 꽂을 수 있고, 남는 장미는 몇 송이일까요?

식 : _____   답 : _____

③ 쌀 297 kg을 한 봉지에 35 kg씩 나누어 담으려고 합니다. 몇 봉지까지 가득 담을 수 있고, 남는 쌀은 몇 kg일까요?

식 : _____   답 : _____

🐝 알맞은 풀이를 쓰고 답을 구하세요.

✪ 학생 254명이 한 대에 14명까지 탈 수 있는 오리 보트를 타려고 합니다. 학생들이 모두 타려면 오리 보트는 몇 대 필요할까요?

> 풀이 : (전체 학생 수) ÷ (한 대에 탈 수 있는 학생 수)
> = 254 ÷ 14 = 18 ⋯ 2
> (필요한 보트 수) = 18 + 1 = 19(대)
>
> 14명씩 타는 보트 수 : 18대
> 남은 2명이 타는 보트 수 : 1대
>
> 답 : ___19대___

① 체리 450개를 한 상자에 36개씩 포장하여 팔려고 합니다. 팔 수 있는 체리는 모두 몇 상자이고, 남는 체리는 몇 개일까요?

> 풀이 :
>
>
>
> 답 : _____

② 꽃봄이는 376쪽까지 있는 소설책을 하루에 24쪽씩 읽으려고 합니다. 소설책을 다 읽는 데 모두 며칠이 걸릴까요?

> 풀이 :
>
>
>
> 답 : _____

③ 생수 429 L를 한 통에 20 L씩 담아서 팔려고 합니다. 팔 수 있는 생수는 모두 몇 통일까요?

풀이 :

답 : _____

④ 학생 369명이 한 줄에 15명씩 줄을 서 있습니다. 학생들은 모두 몇 줄로 서 있을까요?

풀이 :

답 : _____

⑤ 길이가 5 m인 끈으로 선물을 포장하려고 합니다. 선물 하나를 포장하는 데 18 cm가 필요하다면 선물을 몇 개 포장할 수 있고, 남는 끈은 몇 cm일까요?

풀이 :

답 : _____

나누어지는 수 구하기

🎨 □가 있는 나눗셈식과 검산식을 쓰고 답을 구하세요.

⭐ 어떤 수를 30으로 나누었더니 몫이 7, 나머지가 15가 되었습니다. 어떤 수는 얼마일까요?

나눗셈식 : $\boxed{} \div 30 = 7 \cdots 15$

검산식 : $30 \times 7 = 210$, $210 + 15 = 225$ 답 : 225

① 어떤 수를 25로 나누었더니 몫이 11, 나머지가 18이 되었습니다. 어떤 수는 얼마일까요?

나눗셈식 : _____

검산식 : _____   답 : _____

② 어떤 수를 17로 나누었더니 몫이 24, 나머지가 5가 되었습니다. 어떤 수는 얼마일까요?

나눗셈식 : _____

검산식 : _____   답 : _____

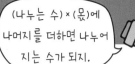

(나누는 수) × (몫)에 나머지를 더하면 나누어지는 수가 되지.

🪨 □가 있는 나눗셈식과 검산식을 쓰고 답을 구하세요.

✪ 색종이를 15명에게 똑같이 나누어 주었더니 한 명당 46장씩 나누어 주고, 10장이 남았습니다. 색종이는 모두 몇 장일까요?

나눗셈식 : $\boxed{} \div 15 = 46 \cdots 10$

검산식 : $15 \times 46 = 690, \ 690 + 10 = 700$ 답 : _700장_

① 포도를 한 상자에 22송이씩 나누어 담았더니 8상자에 가득 담고, 15송이가 남았습니다. 포도는 모두 몇 송이일까요?

나눗셈식 : _____

검산식 : _____ 답 : _____

② 선물 하나를 포장하는 데 필요한 색 테이프는 40 cm입니다. 색 테이프로 선물 6개를 포장하고 36 cm가 남았다면 색 테이프는 모두 몇 cm일까요?

나눗셈식 : _____

검산식 : _____ 답 : _____

✿ 알맞은 풀이를 쓰고 답을 구하세요.

어떤 수를 13으로 나누어야 할 것을 잘못하여 곱하였더니 975가 되었습니다. 바르게 계산한 몫과 나머지를 각각 구하세요.

풀이 : $\square \times 13 = 975$

$975 \div 13 = 75$

(어떤 수) $= 75$

$75 \div 13 = 5 \cdots 10$

답 : ___5, 10___

① 어떤 수에 27을 곱해야 할 것을 잘못하여 나누었더니 몫이 5, 나머지는 12였습니다. 바르게 계산한 값을 구하세요.

풀이 :

답 : _____

구해야 하는 어떤 수를 □로 하는 식을 세워 봐.

② 찰흙을 한 사람에게 15 kg씩 나누어 주었더니 55명에게 나누어 주고 4 kg이 남았습니다. 찰흙은 모두 몇 kg일까요?

풀이 :

답 : _____

③ 지홍이가 가진 돈으로 하나에 70원짜리 스티커를 최대한 많이 사려고 합니다. 스티커 13장을 사고 40원이 남았다면 지홍이가 가지고 있던 돈은 얼마였을까요?

풀이 :

답 : _____

✏️ 알맞은 식을 쓰고 답을 구하세요.

① 700원으로 하나에 50원인 주사위를 사려고 합니다. 주사위를 몇 개까지 살 수 있을까요?

식 : _____   답 : _____

② 한 대에 14명이 탈 수 있는 고무 보트가 있습니다. 학생 476명이 모두 타려면 고무 보트는 몇 대 필요할까요?

식 : _____   답 : _____

✏️ 알맞은 식을 쓰고 답을 구하세요.

③ 음료수 720 mL를 25 mL 들이 작은 컵에 나누어 담으려고 합니다. 몇 컵까지 담을 수 있고, 남는 음료수는 몇 mL일까요?

식 : _____   답 : _____

④ 돼지 427마리를 14개의 우리에 똑같이 나누어 넣으려고 합니다. 한 우리에 최대 몇 마리씩 넣을 수 있고, 몇 마리가 남을까요?

식 : _____   답 : _____

✎ 알맞은 풀이를 쓰고 답을 구하세요.

⑤ 연필 135자루를 한 상자에 12자루씩 포장하려고 합니다. 연필을 최대 몇 상자까지 포장할 수 있을까요?

풀이 :

답 : _____

⑥ 공책 277권을 학생 13명에게 똑같이 나누어 주려고 합니다. 공책을 최대 몇 권까지 나누어 줄 수 있고, 몇 권이 남을까요?

풀이 :

답 : _____

⑦ 테니스 공 508개를 한 봉지에 35개씩 넣으려고 합니다. 테니스 공을 모두 넣으려면 몇 봉지가 필요할까요?

풀이 :

답 : _____

✎ □가 있는 나눗셈식과 검산식을 쓰고 답을 구하세요.

⑧ 어떤 수를 20으로 나누었더니 몫이 18, 나머지가 11이 되었습니다. 어떤 수는 얼마일까요?

나눗셈식 : _____

검산식 : _____ 답 : _____

⑨ 수험생이 한 교실에 36명씩 들어갔더니 교실 7개가 가득 찼고, 9명이 남았습니다. 수험생은 모두 몇 명일까요?

나눗셈식 : _____

검산식 : _____ 답 : _____

⑩ 물을 수조 하나에 42 L씩 담았더니 수조 9개가 가득 찼고, 남은 물은 17 L였습니다. 물은 모두 몇 L일까요?

나눗셈식 : _____

검산식 : _____ 답 : _____

진단평가

진단평가에는 앞에서 학습한 4주차의 문장제 활동이 순서대로 나옵니다. 잘못 푼 문제가 있으면 몇 주차인지 확인하여 반드시 한 번 더 복습해 봅니다.

1주차	3주차
2주차	4주차

진단평가

✎ 다음 물음에 답하세요.

① 태경이는 블록 완구를 사려고 10000원짜리 지폐 5장, 1000원짜리 지폐 6장, 100원짜리 동전 8개를 모았습니다. 태경이가 모은 돈은 모두 얼마일까요?

답 : _____

② 초이는 10000원짜리 지폐 9장, 100원짜리 동전 25개, 10원짜리 동전 3개를 저금하였습니다. 초이가 저금한 돈은 모두 얼마일까요?

답 : _____

✎ 수 카드를 한 번씩만 써서 가장 큰 수와 가장 작은 수를 각각 만들어 보세요.

③ 9 2 4 0 1 7

가장 큰 수 : _____   가장 작은 수 : _____

④ 2 3 8 7 1 5 6 4

가장 큰 수 : _____   가장 작은 수 : _____

✎ 알맞은 식을 쓰고 답을 구하세요.

⑤ 어느 국립 공원의 어린이 입장료는 350원이고, 어른 입장료는 900원입니다. 이 공원에 어린이 21명, 어른 13명이 입장할 때 입장료는 모두 얼마일까요?

어린이 입장료 : _____

어른 입장료 : _____

총 입장료 : _____

답 : _____

✎ 알맞은 풀이를 쓰고 답을 구하세요.

⑥ 소금 597 kg을 한 자루에 16kg 씩 담으려고 합니다. 소금을 남김없이 모두 담으려면 몇 자루가 필요할까요?

풀이 :

답 : _____

✎ 설명하는 수를 자리에 맞게 써 보세요.

① 1000만이 3개, 10만이 2개, 만이 5개인 수

② 100만이 8개, 10만이 2개, 천이 95개인 수

✎ 다음 물음에 답하세요.

③ 호연이는 1월부터 매달 5만 원씩 기부하기로 하였습니다. 호연이가 5월까지 기부한 금액은 모두 얼마일까요?

답 : _____

④ 2015년 어느 나라의 인구는 1억 4500만 명이었습니다. 이 나라의 인구가 매년 50만 명씩 늘어났을 때, 2020년 이 나라의 인구는 몇 명일까요?

답 : _____

✎ 알맞은 풀이를 쓰고 답을 구하세요.

⑤ 호열이는 종이학 7777마리를 접으려고 합니다. 호열이가 종이학을 하루에 25마리씩 243일 동안 접었습니다. 호열이가 더 접어야 하는 종이학은 몇 마리일까요?

풀이 :

답 : _____

✎ □가 있는 나눗셈식과 검산식을 쓰고 답을 구하세요.

⑥ 어떤 수를 32로 나누었더니 몫이 14, 나머지가 8이 되었습니다. 어떤 수는 얼마일까요?

나눗셈식 : _____

검산식 : _____   답 : _____

✎ 밑줄 친 수를 자리에 맞게 써 보세요.

① 861회 로또복권 1등 당첨금은 <u>48억 7200만</u> 원입니다.

② 2019년 독일의 연간 수출액은 약 <u>1조 5609억 8300만</u> 달러입니다.

✎ 다음 물음에 답하세요.

③ 어떤 수에서 50만씩 7번 뛰어 센 수가 825만이었습니다. 어떤 수는 얼마일까요?

답 : _____

④ 어떤 수에서 1000억씩 5번 뛰어 센 수가 2조 8800억이었습니다. 어떤 수는 얼마일까요?

답 : _____

✎ 알맞은 식을 쓰고 답을 구하세요.

⑤ 주민이가 50원짜리 동전을 234개 모았습니다. 주민이가 모은 돈은 모두 얼마일까요?

식 : _____ 답 : _____

⑥ 종오는 매일 135분씩 책을 읽습니다. 종오가 4월 한 달 동안 책을 읽은 시간은 몇 분일까요?

식 : _____ 답 : _____

✎ 알맞은 풀이를 쓰고 답을 구하세요.

⑦ 어떤 수를 32로 나누어야 할 것을 잘못하여 23으로 나누었더니 몫이 20이었습니다. 바르게 계산한 몫과 나머지를 각각 구하세요.

풀이 :

답 : _____

✎ 다음 물음에 답하세요.

① 금고에 100만 원짜리 수표 1000장이 들어 있습니다. 금고에 있는 돈은 모두 얼마
일까요?

답 : _____

② 학교에서 10만 원짜리 문화상품권을 530장 나누어 주었습니다. 학교에서 나누어
준 문화상품권은 모두 얼마어치일까요?

답 : _____

✎ 다음 물음에 답하세요.

③ 어느 영화의 오늘까지 입장 관객 수는 850만 명이었습니다. 앞으로 매주 50만 명
이 이 영화를 본다면 입장 관객 수가 1000만 명이 되는 데 몇 주가 걸릴까요?

답 : _____

④ 로이네 반에서 매달 25만 원씩 모아 150만 원을 환경 보호 단체에 기부하려고 합
니다. 로이네 반에서 돈을 몇 달 동안 모아야 할까요?

답 : _____

✎ 알맞은 식을 쓰고 답을 구하세요.

⑤ 자동차 공장에서 하루에 만드는 자동차는 353대입니다. 이 공장에서 5월 한 달 동안 만들 수 있는 자동차는 모두 몇 대일까요?

식 : _____   답 : _____

⑥ 무게가 498 kg인 철근이 64개 있습니다. 철근의 무게는 모두 몇 kg일까요?

식 : _____   답 : _____

✎ 알맞은 식을 쓰고 답을 구하세요.

⑦ 색종이 180장을 20명에게 똑같이 나누어 주려고 합니다. 한 사람에게 몇 장씩 나누어 줄 수 있을까요?

식 : _____   답 : _____

⑧ 종이 테이프 756 cm를 똑같은 길이인 63도막으로 나누려고 합니다. 한 도막의 길이는 몇 cm가 될까요?

식 : _____   답 : _____

✎ 밑줄 친 곳에 알맞은 수를 써넣으세요.

① 1억 원은 100만 원의 ＿＿＿＿＿＿＿ 배입니다.

② 100억 원은 10만 원의 ＿＿＿＿＿＿＿ 배입니다.

③ 56억 원은 1000만 원의 ＿＿＿＿＿＿＿ 배입니다.

✎ 0부터 9까지의 수 중 □ 안에 들어갈 수 있는 수를 모두 써 보세요.

④
49□1525 > 4970531

답 : ＿＿＿＿＿＿＿＿＿＿＿＿＿

⑤
1□980528 < 14737665

답 : ＿＿＿＿＿＿＿＿＿＿＿＿＿

✎ 알맞은 풀이를 쓰고 답을 구하세요.

⑥ 하루에 465 km를 갈 수 있는 자동차가 있습니다. 이 자동차로 15일 동안 갈 수 있는 거리는 몇 km일까요?

풀이 :

답 : _____

✎ 알맞은 식을 쓰고 답을 구하세요.

⑦ 수경이는 밤에 515분 동안 잠을 잤습니다. 수경이가 잠을 잔 시간은 몇 시간 몇 분일까요?

식 : _____   답 : _____

⑧ 학생 325명을 한 모둠에 15명씩 나누려고 합니다. 최대 몇 모둠을 만들 수 있고, 남는 학생은 몇 명일까요?

식 : _____   답 : _____

Memo

하루 10분 서술형/문장제 학습지

씨투엠

수학 독해

정답

D1 자연수
초4~초5

정답

D1 자연수
초4~초5

큰 수

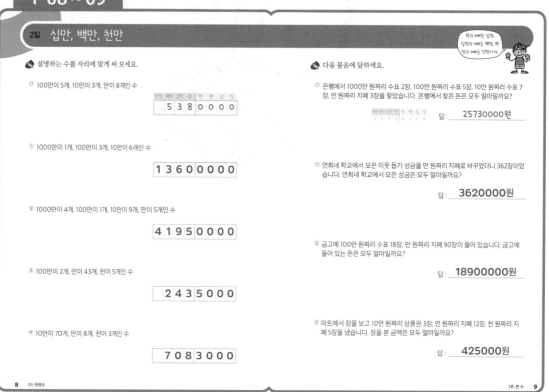

1일 다섯 자리 수

다섯 자리 수를 읽을 때는 만의 자리에서 끊어 읽어야 해.

알맞은 수를 쓰고 읽어 보세요.

○ 10000이 2개, 1000이 4개, 100이 5개, 1이 3개인 수는 __24503__ 이고,
__이만 사천오백삼__ (이)라고 읽습니다.

① 10000이 1개, 1000이 4개, 100이 6개, 1이 5개인 수는 __14605__ 이고,
__만 사천육백오__ (이)라고 읽습니다.

② 10000이 3개, 1000이 2개, 10이 8개, 1이 7개인 수는 __32087__ 이고,
__삼만 이천팔십칠__ (이)라고 읽습니다.

③ 10000이 2개, 100이 4개, 1이 8개인 수는 __20408__ 이고,
__이만 사백팔__ (이)라고 읽습니다.

④ 10000이 5개, 1000이 3개, 100이 2개, 10이 1개인 수는 __53210__ 이고,
__오만 삼천이백십__ (이)라고 읽습니다.

다음 물음에 답하세요.

○ 자현이는 10000원짜리 지폐 3장, 1000원짜리 지폐 6장, 100원짜리 동전 5개, 10원짜리 동전 7개를 가지고 있습니다. 자현이가 가진 돈은 모두 얼마일까요?

답 : __36570원__

① 선우는 10000원짜리 지폐 8장, 1000원짜리 지폐 2장, 100원짜리 동전 5개를 모았습니다. 선우가 모은 돈은 모두 얼마일까요?

답 : __82500원__

② 마트에서 장을 보고 10000원짜리 지폐 4장, 1000원짜리 지폐 7장, 10원짜리 동전 15개를 냈습니다. 마트에서 낸 돈은 모두 얼마일까요?

답 : __47150원__

③ 저금통에 1000원짜리 지폐 27장, 100원짜리 동전 9개, 10원짜리 동전 2개가 들어 있습니다. 저금통에 들어 있는 돈은 모두 얼마일까요?

답 : __27920원__

2일 십만, 백만, 천만

만의 배는 십만, 십만의 배는 백만, 백만의 배는 천만이야.

설명하는 수를 자리에 맞게 써 보세요.

○ 100만이 5개, 10만이 3개, 만이 8개인 수

천만	백만	십만	만	천	백	십	일
	5	3	8	0	0	0	0

① 1000만이 1개, 100만이 3개, 10만이 6개인 수

1	3	6	0	0	0	0

② 1000만이 4개, 100만이 1개, 10만이 9개, 만이 5개인 수

4	1	9	5	0	0	0	0

③ 100만이 2개, 만이 43개, 천이 5개인 수

2	4	3	5	0	0	0

④ 10만이 70개, 만이 8개, 천이 3개인 수

7	0	8	3	0	0	0

다음 물음에 답하세요.

○ 은행에서 1000만 원짜리 수표 2장, 100만 원짜리 수표 5장, 10만 원짜리 수표 7장, 만 원짜리 지폐 3장을 찾았습니다. 은행에서 찾은 돈은 모두 얼마일까요?

답 : __25730000원__

① 연희네 학교에서 모은 이웃 돕기 성금을 만 원짜리 지폐로 바꾸었더니 362장이었습니다. 연희네 학교에서 모은 성금은 모두 얼마일까요?

답 : __3620000원__

② 금고에 100만 원짜리 수표 18장, 만 원짜리 지폐 90장이 들어 있습니다. 금고에 들어 있는 돈은 모두 얼마일까요?

답 : __18900000원__

③ 마트에서 장을 보고 10만 원짜리 상품권 3장, 만 원짜리 지폐 12장, 천 원짜리 지폐 5장을 냈습니다. 장을 본 금액은 모두 얼마일까요?

답 : __425000원__

P 10 ~ 11

3일 억과 조

만이 맞게 집으면
[억]이 되고, [억]이 맞게
집으면 [조]가 되지.

🐝 밑줄 친 수를 자리에 맞게 써 보세요.

◎ 태양은 지구에서 약 1억 4960만 km 떨어져 있습니다.

	1	4	9	6	0	0	0	0	0

① 2020년 기준 전 세계 인구수는 약 77억 9479만 9000명입니다.

| 7 | 7 | 9 | 4 | 7 | 9 | 9 | 0 | 0 | 0 |

② 1000년의 시간을 초로 나타내면 약 315억 3600만 초입니다.

| 3 | 1 | 5 | 3 | 6 | 0 | 0 | 0 | 0 | 0 |

③ 2018년 미국의 1년 국가예산은 약 4조 940억 달러입니다.

| 4 | 0 | 9 | 4 | 0 | 0 | 0 | 0 | 0 | 0 | 0 | 0 | 0 |

④ 지웅이의 몸 속에 있는 세포 수는 약 37조 2000억 개입니다.

| 3 | 7 | 2 | 0 | 0 | 0 | 0 | 0 | 0 | 0 | 0 | 0 | 0 |

🐝 주어진 수를 조, 억, 만으로 끊어서 나타내어 보세요.

◎ 일본의 인구수 : 126476461명

일본의 인구수 : **1억 2647만 6461명**

① 러시아의 국토면적 : 17098250000000㎡

러시아의 국토면적 : **17조 982억 5000만 ㎡**

② 어느 도시의 1년 예산 : 143574278000원

어느 도시의 1년 예산 : **1435억 7427만 8000원**

③ 브라질의 국내총생산 : 1868626087908달러

브라질의 국내총생산 : **1조 8686억 2608만 7908달러**

④ 한국의 국방예산 : 50201364000000원

한국의 국방예산 : **50조 2013억 6400만 원**

P 12 ~ 13

4일 몇 배의 금액

수에 0을 1개 붙이면
수가 10배로 커지고, 2개
붙이면 100배가 되지.

🐝 밑줄 친 곳에 알맞은 금액을 써넣으세요.

◎ 1만 원의 10배는 **10만 원** 입니다.

① 100만 원의 10배는 **1000만 원** 입니다.

② 100만 원의 100배는 **1억 원** 입니다.

③ 1억 원의 100배는 **100억 원** 입니다.

④ 1만 원의 2000배는 **2000만 원** 입니다.

⑤ 10만 원의 30000배는 **30억 원** 입니다.

⑥ 10만 원의 4500배는 **4억 5000만 원** 입니다.

🐝 다음 물음에 답하세요.

◎ 금고에 만 원짜리 지폐 1000장이 들어 있습니다. 금고에 들어 있는 돈은 모두 얼마일까요?

답 : **1000만 원**

① 은행에서 1000만 원짜리 수표 10장을 찾았습니다. 은행에서 찾은 돈은 모두 얼마일까요?

답 : **1억 원**

② 환경 보호 기금으로 만 원짜리 지폐 5000장을 모았습니다. 환경 보호 기금으로 모은 돈은 모두 얼마일까요?

답 : **5000만 원**

③ 백화점에서 100만 원짜리 상품권을 720장 샀습니다. 백화점에서 산 상품권은 모두 얼마어치일까요?

답 : **7억 2000만 원**

P 14 ~ 15

5일 금액 만들기

> 덧 빼깅지 살려면 ㅗ
> 큰 꾸 끝에서부터 셋•지
> 개수를 비교해야 해.

❀ 밑줄 친 곳에 알맞은 수를 써넣으세요.

◦ 1억 원은 10000원의 ___1만___ 배입니다.

100000 에 10000000 0

① 1억 원은 100만 원의 ___100___ 배입니다.

② 1억 원은 10만 원의 ___1000___ 배입니다.

③ 10억 원은 1000만 원의 ___100___ 배입니다.

④ 2000억 원은 1억 원의 ___2000___ 배입니다.

⑤ 7조 원은 1000억 원의 ___70___ 배입니다.

⑥ 3600만 원은 10만 원의 ___360___ 배입니다.

❀ 다음 물음에 답하세요.

◦ 은행에 예금한 돈 10억 원을 모두 100만 원짜리 수표로 찾으려고 합니다. 100만 원짜리 수표 몇 장으로 찾을 수 있을까요?

1000000 에 1000000 000

답 : ___1000장___

① 1000억 원짜리 수표로 1조 원을 만들려고 합니다. 1000억 원짜리 수표는 모두 몇 장 필요할까요?

답 : ___10장___

② 은행에 예금한 돈 4000만 원을 모두 10000원짜리 지폐로 찾으려고 합니다. 10000원짜리 지폐 몇 장으로 찾을 수 있을까요?

답 : ___4000장___

③ 10만 원짜리 수표로 1억 5천만 원을 만들려고 합니다. 10만 원짜리 수표는 모두 몇 장 필요할까요?

답 : ___1500장___

P 16 ~ 17

확인학습

✎ 알맞은 수를 쓰고 읽어 보세요.

① 10000이 4개, 1000이 8개, 10이 9개, 1이 6개인 수는 ___48096___ 이고,

___사만 팔천구십육___ (이)라고 읽습니다.

② 10000이 6개, 10이 9개, 1이 5개인 수는 ___60095___ 이고,

___육만 구십오___ (이)라고 읽습니다.

✎ 다음 물음에 답하세요.

③ 은행에 10만 원짜리 수표 6장, 만 원짜리 지폐 7장, 천 원짜리 지폐 5장을 맡겼습니다. 은행에 맡긴 돈은 모두 얼마일까요?

답 : ___675000원___

④ 백화점에서 100만 원짜리 상품권 12장, 10만 원짜리 상품권 6장, 만 원짜리 상품권 8장을 샀습니다. 백화점에서 산 상품권은 모두 얼마어치일까요?

답 : ___12680000원___

✎ 주어진 수를 조, 억, 만으로 끊어서 나타내어 보세요.

⑤ 중국의 인구수 : 1439323776명

중국의 인구수 : ___14억 3932만 3776명___

⑥ 미국의 국내총생산 : 20494099845390달러

미국의 국내총생산 : ___20조 4940억 9984만 5390달러___

✎ 밑줄 친 곳에 알맞은 금액을 써넣으세요.

⑦ 1000만 원의 10배는 ___1억 원___ 입니다.

⑧ 100만 원의 1000배는 ___10억 원___ 입니다.

⑨ 1만 원의 3250배는 ___3250만 원___ 입니다.

P 18

확인학습

◆ 다음 물음에 답하세요.

⑩ 10억 원짜리 수표로 1000억 원을 만들려고 합니다. 10억 원짜리 수표는 모두 몇 장 필요할까요?

답 : **100**장

⑪ 은행에 예금한 돈은 3억 9천만 원입니다. 100만 원짜리 수표로만 돈을 찾는다면 모두 몇 장을 찾을 수 있을까요?

답 : **390**장

⑫ 이웃 돕기 성금으로 모은 돈 100억 원을 모두 1000만 원짜리 수표로 바꾸려고 합니다. 1000만 원짜리 수표 몇 장으로 바꿀 수 있을까요?

답 : **1000**장

⑬ 은행에 예금한 돈 2억 7000만 원을 모두 10만 원짜리 수표로 찾으려고 합니다. 10만 원짜리 수표 몇 장으로 찾을 수 있을까요?

답 : **2700**장

뛰어 세기

P 20 ~ 21

1일 뛰어 센 수

n만씩 뛰어 세면 십만의 자리 숫자가 n씩 커지지.

다음 물음에 답하세요.

◦ 15만에서 10만씩 3번 뛰어 센 수는 얼마일까요?

답 : __45만__

① 3520만에서 100만씩 4번 뛰어 센 수는 얼마일까요?

답 : __3920만__

② 1억 7800만에서 1000만씩 5번 뛰어 센 수는 얼마일까요?

답 : __2억 2800만__

③ 36억에서 3억씩 4번 뛰어 센 수는 얼마일까요?

답 : __48억__

④ 4조 50억에서 200억씩 6번 뛰어 센 수는 얼마일까요?

답 : __4조 1250억__

다음 물음에 답하세요.

◦ 종민이는 매달 10만 원씩 저금하기로 했습니다. 종민이가 4달 동안 저금한 금액은 모두 얼마가 될까요?

답 : __40만 원__

① 혜진이는 하루에 10000걸음씩 걸으려고 합니다. 혜진이가 6일 동안 걷는 걸음은 몇 걸음일까요?

답 : __60000걸음__

② 수혁이의 통장에는 27만 원이 있습니다. 앞으로 매달 3만 원씩 저금한다면 3달 후에 수혁이의 통장에는 얼마가 있을까요?

답 : __36만 원__

③ 어느 회사의 2019년 매출은 32억 5000만 원이었습니다. 이 회사의 매출이 1년에 5억 원씩 늘어난다면 2023년의 매출은 얼마일까요?

답 : __52억 5000만 원__

P 22 ~ 23

2일 거꾸로 뛰어 센 수

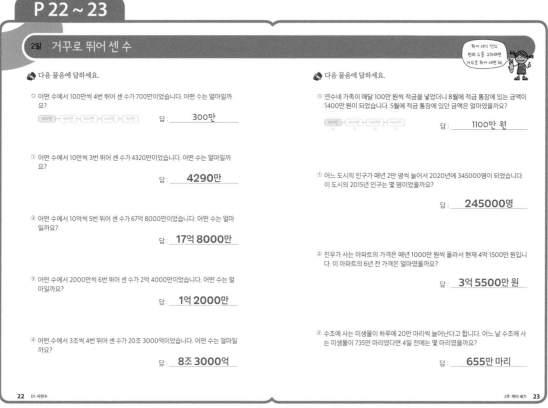

뛰어 세기 전의 원래 수를 구하려면 거꾸로 뛰어 세면 돼.

다음 물음에 답하세요.

◦ 어떤 수에서 100만씩 4번 뛰어 센 수가 700만이었습니다. 어떤 수는 얼마일까요?

답 : __300만__

① 어떤 수에서 10만씩 3번 뛰어 센 수가 4320만이었습니다. 어떤 수는 얼마일까요?

답 : __4290만__

② 어떤 수에서 10억씩 5번 뛰어 센 수가 67억 8000만이었습니다. 어떤 수는 얼마일까요?

답 : __17억 8000만__

③ 어떤 수에서 2000만씩 6번 뛰어 센 수가 2억 4000만이었습니다. 어떤 수는 얼마일까요?

답 : __1억 2000만__

④ 어떤 수에서 3조씩 4번 뛰어 센 수가 20조 3000억이었습니다. 어떤 수는 얼마일까요?

답 : __8조 3000억__

다음 물음에 답하세요.

◦ 연수네 가족이 매달 100만 원씩 적금을 넣었더니 8월에 적금 통장에 있는 금액이 1400만 원이 되었습니다. 5월에 적금 통장에 있던 금액은 얼마였을까요?

답 : __1100만 원__

① 어느 도시의 인구가 매년 2만 명씩 늘어서 2020년에 345000명이 되었습니다. 이 도시의 2015년 인구는 몇 명이었을까요?

답 : __245000명__

② 진우가 사는 아파트의 가격은 매년 1000만 원씩 올라서 현재 4억 1500만 원입니다. 이 아파트의 6년 전 가격은 얼마였을까요?

답 : __3억 5500만 원__

③ 수조에 사는 미생물이 하루에 20만 마리씩 늘어난다고 합니다. 어느 날 수조에 사는 미생물이 735만 마리였다면 4일 전에는 몇 마리였을까요?

답 : __655만 마리__

P 24 ~ 25

3일 뛰어 센 횟수

뛰어 센 횟수를 구하면 계획에 필요한 시간을 알 수 있어.

🐝 다음 물음에 답하세요.

◎ 250만에서 100만씩 뛰어 센 수가 650만이었습니다. 100만씩 몇 번 뛰어 세었을까요?

답 : __4번__

① 20만에서 5만씩 뛰어 센 수가 35만이었습니다. 5만씩 몇 번 뛰어 세었을까요?

답 : __3번__

② 4억 5000만에서 5000만씩 뛰어 센 수가 7억이었습니다. 5000만씩 몇 번 뛰어 세었을까요?

답 : __5번__

③ 503억에서 10억씩 뛰어 센 수가 563억이었습니다. 10억씩 몇 번 뛰어 세었을까요?

답 : __6번__

④ 2조 8000억에서 1000억씩 뛰어 센 수가 3조 4000억이었습니다. 1000억씩 몇 번 뛰어 세었을까요?

답 : __6번__

🐝 다음 물음에 답하세요.

◎ 수아네 가족이 가족 여행을 위해 매달 10만 원씩 모으려고 합니다. 가족 여행에 필요한 비용이 50만 원일 때 수아네 가족은 몇 달 동안 돈을 모아야 할까요?

답 : __5달__

① 자민이는 매일 유산균을 1억 5000만 마리씩 먹어 총 6억 마리를 먹으려고 합니다. 자민이는 유산균을 며칠 동안 먹어야 할까요?

답 : __4일__

② 인형 공장에 만들어 놓은 인형이 75만 개 있습니다. 하루에 5만 개씩 생산하여 인형 100만 개를 납품하려면 며칠이 걸릴까요?

답 : __5일__

③ 지구에서 태양까지의 거리는 1억 5000만 km입니다. 한 달에 2500만 km를 가는 우주선을 타고 태양에서 5000만 km 떨어진 지점까지 가려면 몇 달이 걸릴까요?

답 : __4달__

P 26 ~ 27

4일 수의 크기 비교

큰 수의 크기를 비교할 때는 먼저 각 수의 자릿수를 세어 봐.

🐝 다음 물음에 답하세요.

◎ 브라질의 인구는 212559417명이고, 인도네시아의 인구는 273523615명입니다. 두 나라 중 인구가 더 적은 나라는 어디일까요?

답 : __브라질__

① 영화 '라이온 킹'의 흥행 성적은 968483777달러이고, '주토피아'의 흥행 성적은 1023784195달러입니다. 두 영화 중 흥행 성적이 더 좋은 영화는 무엇일까요?

답 : __주토피아__

② 콜롬비아의 면적은 1138914제곱킬로미터이고, 탄자니아의 면적은 945087제곱킬로미터입니다. 두 나라 중 면적이 더 넓은 나라는 어디일까요?

답 : __콜롬비아__

③ 목성의 지름은 1억 3982만 m이고, 토성의 지름은 1억 1646만 m입니다. 두 행성 중 크기가 더 작은 행성은 무엇일까요?

답 : __토성__

🐝 0부터 9까지의 수 중 ☐ 안에 들어갈 수 있는 수를 모두 써 보세요.

◎ 134062 < 1☐3315

답 : __4, 5, 6, 7, 8, 9__

① 43☐0813 > 4357387

답 : __6, 7, 8, 9__

② 29432325 > 294☐2170

답 : __0, 1, 2, 3__

③ 3024☐7805 < 302454093

답 : __0, 1, 2, 3, 4__

뛰어 세기

P 28 ~ 29

5일 큰 수 만들기

말풍선: 가장 작은 수를 만들 때 가장 높은 자리에 0은 놓을 수 없어.

🌸 수 카드를 한 번씩만 써서 가장 큰 수와 가장 작은 수를 각각 만들어 보세요.

◦ | 3 | 1 | 0 | 5 | 4 |

가장 큰 수 : __54310__   가장 작은 수 : __10345__

① | 1 | 6 | 4 | 7 | 9 | 3 |

가장 큰 수 : __976431__   가장 작은 수 : __134679__

② | 2 | 0 | 3 | 5 | 7 | 8 | 1 |

가장 큰 수 : __8753210__   가장 작은 수 : __1023578__

③ | 6 | 9 | 4 | 3 | 1 | 5 | 2 | 0 |

가장 큰 수 : __96543210__   가장 작은 수 : __10234569__

🌸 수 카드로 큰 수를 만들려고 합니다. 물음에 답하세요.

◦ 수 카드를 한 번씩만 사용하여 여섯 자리 수를 만들려고 합니다. 만들 수 있는 수 중에서 천의 자리가 8인 가장 작은 수를 구하세요.

| 2 | 4 | 8 | 1 | 7 | 3 |

답 : __128347__

① 수 카드를 한 번씩만 사용하여 일곱 자리 수를 만들려고 합니다. 만들 수 있는 수 중에서 십만의 자리가 7인 가장 큰 수를 구하세요.

| 4 | 2 | 1 | 0 | 3 | 7 | 5 |

답 : __5743210__

② 수 카드를 한 번씩만 사용하여 여덟 자리 수를 만들려고 합니다. 만들 수 있는 수 중에서 만의 자리가 0인 가장 작은 수를 구하세요.

| 7 | 8 | 0 | 2 | 1 | 4 | 6 | 3 |

답 : __12304678__

P 30 ~ 31

확인학습

✏️ 다음 물음에 답하세요.

① 375만에서 10만씩 4번 뛰어 센 수는 얼마일까요?

답 : __415만__

② 78억 5000만에서 5000만씩 6번 뛰어 센 수는 얼마일까요?

답 : __81억 5000만__

✏️ 다음 물음에 답하세요.

③ 형주가 매주 2만 원씩 저금을 했더니 통장에 있는 금액이 51만 5000원이 되었습니다. 5주 전에 통장에 있던 금액은 얼마였을까요?

답 : __41만 5000원__

④ 어느 도시의 1년 예산이 매년 10억 원씩 늘어나 2020년에는 438억 원이 되었습니다. 이 도시의 2017년 예산은 얼마였을까요?

답 : __408억 원__

✏️ 다음 물음에 답하세요.

⑤ 165만에서 10만씩 뛰어 센 수가 235만이었습니다. 10만씩 몇 번 뛰어 세었을까요?

답 : __7번__

⑥ 1425억에서 100억씩 뛰어 센 수가 1925억이었습니다. 100억씩 몇 번 뛰어 세었을까요?

답 : __5번__

✏️ 다음 물음에 답하세요.

⑦ 고양시의 인구는 1068641명이고, 용인시의 인구는 1061440명입니다. 두 도시 중 인구가 더 많은 도시는 어디일까요?

답 : __고양시__

⑧ 호주의 국민총생산은 1조 4321억 9500만 달러이고, 스페인의 국민총생산은 1조 4261억 8900만 달러입니다. 두 나라 중 국민총생산이 더 적은 나라는 어디일까요?

답 : __스페인__

P 32

확인학습

✎ 수 카드로 큰 수를 만들려고 합니다. 물음에 답하세요.

⑨ 수 카드를 한 번씩만 사용하여 다섯 자리 수를 만들려고 합니다. 만들 수 있는 수 중에서 두 번째로 작은 수를 구하세요.

| 1 | 0 | 4 | 9 | 5 |

답 : **10495**

⑩ 수 카드를 한 번씩만 사용하여 일곱 자리 수를 만들려고 합니다. 만들 수 있는 수 중에서 백의 자리가 2인 가장 작은 수를 구하세요.

| 7 | 3 | 4 | 5 | 8 | 6 | 2 |

답 : **3456278**

⑪ 수 카드를 한 번씩만 사용하여 여덟 자리 수를 만들려고 합니다. 만들 수 있는 수 중에서 백만의 자리가 5인 가장 큰 수를 구하세요.

| 6 | 5 | 0 | 8 | 4 | 7 | 9 | 3 |

답 : **95876430**

P 34 ~ 35

1일 (세 자리 수)×(몇십)

> (몇십)을 곱한 값은
> (몇)을 곱한 값에 0을 하나
> 더 붙인 것과 같아.

❀ 세로셈 식을 완성하고 밑줄 친 곳에 알맞은 수를 구하세요.

○ 345 곱하기 40은 __13800__ 입니다.

		3	4	5
×			4	0
1	3	8	0	0

① 275 곱하기 20은 __5500__ 입니다.

	2	7	5
×		2	0
5	5	0	0

② 413씩 50묶음은 __20650__ 입니다.

	4	1	3
×		5	0
2	0	6	5	0

③ 307의 80배는 __24560__ 입니다.

	3	0	7
×		8	0
2	4	5	6	0

❀ 알맞은 식을 쓰고 답을 구하세요.

○ 무게가 495 g인 책이 30권 있습니다. 책의 무게는 모두 몇 g일까요?

식 : __495×30=14850__ 답 : __14850__ g

(책의 총 무게)
= (책 한 권의 무게) × (권 수)

① 방울토마토가 한 상자에 685개 들어 있습니다. 20상자에 들어 있는 방울토마토는 모두 몇 개일까요?

식 : __685×20=13700__ 답 : __13700__ 개

② 세람이는 매일 줄넘기를 130번 넘었습니다. 60일 동안 넘은 줄넘기는 모두 몇 번일까요?

식 : __130×60=7800__ 답 : __7800__ 번

③ 한 캔에 355 mL가 들어 있는 음료수가 40캔 있습니다. 음료수는 모두 몇 mL 있을까요?

식 : __355×40=14200__ 답 : __14200__ mL

P 36 ~ 37

2일 (세 자리 수)×(두 자리 수)(1)

> (두 자리) × (세 자리)는
> (세 자리) × (두 자리)로
> 바꾸는 것이 간단해.

❀ 세로셈 식을 완성하고 밑줄 친 곳에 알맞은 수를 구하세요.

○ 365씩 48묶음은 __17520__ 입니다.

	3	6	5
×		4	8
2	9	2	0
1	4	6	0
1	7	5	2	0

365×8=2920
365×40=14600

① 198의 37배는 __7326__ 입니다.

	1	9	8
×		3	7
1	3	8	6
	5	9	4
	7	3	2	6

② 516 곱하기 25는 __12900__ 입니다.

	5	1	6
×		2	5
2	5	8	0
1	0	3	2
1	2	9	0	0

③ 603씩 19묶음은 __11457__ 입니다.

	6	0	3
×		1	9
5	4	2	7
	6	0	3
1	1	4	5	7

❀ 알맞은 식을 쓰고 답을 구하세요.

○ 한 시간에 315 km를 가는 고속 열차가 있습니다. 이 열차가 12시간 동안 가는 거리는 모두 몇 km일까요?

식 : __315×12=3780__ 답 : __3780__ km

(열차가 가는 총 거리)
= (한 시간 동안 열차가 가는 거리) × (시간)

① 야구장의 한 구역에 관중 455명이 앉을 수 있습니다. 야구장에 있는 구역이 모두 28개일 때, 야구장에 들어갈 수 있는 관중은 모두 몇 명일까요?

식 : __455×28=12740__ 답 : __12740__ 명

② 유리병에 사탕이 75개씩 들어 있습니다. 유리병 209개에 들어 있는 사탕은 모두 몇 개일까요?

식 : __75×209=15675__ 답 : __15675__ 개

③ 지현이는 매일 물을 935 mL씩 마시려고 합니다. 지현이가 4주 동안 마시는 물의 양은 몇 mL일까요?

식 : __935×28=26180__ 답 : __26180__ mL

P 38 ~ 39

3일 (세 자리 수)×(두 자리 수)(2)

풀이 과정을 쓸 때 먼저 구해야 하는 것이 무엇인지 봐 봐.

🐝 알맞은 풀이를 쓰고 답을 구하세요.

○ 한 대에 40명까지 탈 수 있는 버스가 있습니다. 이 버스 182대에 탈 수 있는 사람은 모두 몇 명일까요?

풀이: (탈 수 있는 총 사람 수)
= (한 대에 탈 수 있는 사람 수) × (버스 수)
= 40 × 182 = 7280(명)

답: __7280명__

① 한 팩에 255 mL가 들어 있는 우유 38팩을 샀습니다. 산 우유는 모두 몇 mL일까요?

풀이: (우유의 양)
= (한 팩에 들어 있는 우유의 양) × (팩의 수)
= 255 × 38 = 9690 (mL)

답: __9690 mL__

② 한 권이 188쪽까지 있는 만화책이 24권 있습니다. 만화책은 모두 몇 쪽일까요?

풀이: (만화책의 총 쪽 수)
= (만화책 한 권의 쪽 수) × (만화책의 수)
= 188 × 24 = 4512(쪽)

답: __4512쪽__

③ 두부 한 모의 무게는 320 g입니다. 두부 65모의 무게는 모두 몇 g일까요?

풀이: (두부의 총 무게)
= (두부 한 모의 무게) × (두부의 수)
= 320 × 65 = 20800 (g)

답: __20800 g__

④ 사과 1개의 가격은 950원입니다. 사과 54개를 사는 데 필요한 금액은 모두 얼마일까요?

풀이: (사과 54개를 사는 데 필요한 금액)
= (사과 1개의 가격) × (사과의 수)
= 950 × 54 = 51300(원)

답: __51300원__

⑤ 길이가 48 cm인 막대 자가 있습니다. 이 막대 자 157개를 겹치지 않게 길게 이어 붙인 길이는 몇 cm일까요?

풀이: (이어 붙인 길이)
= (막대 자 한 개의 길이) × (막대 자의 수)
= 48 × 157 = 7536 (cm)

답: __7536 cm__

P 40 ~ 41

4일 곱셈의 활용(1)

곱한 값을 서로 더해야 할지 빼야 할지 잘 판단해야 해.

🐝 알맞은 식을 쓰고 답을 구하세요.

○ 문구점에서 하나에 450원짜리 지우개 16개와 하나에 780원짜리 딱풀 20개를 샀습니다. 문구점에서 쓴 금액은 모두 얼마일까요?

지우개를 산 금액: __450×16=7200__

딱풀을 산 금액: __780×20=15600__

총 쓴 금액: __7200+15600=22800__

답: __22800원__

① 수학 교과서의 무게는 560 g이고, 수학 익힘책의 무게는 486 g입니다. 수학 교과서 12권, 수학 익힘책 15권의 무게의 합은 몇 g일까요?

수학 교과서의 무게: __560×12=6720__

수학 익힘책의 무게: __486×15=7290__

총 무게: __6720+7290=14010__

답: __14010 g__

② 명지네 집에서 학교까지의 거리는 2500 m입니다. 명지가 집에서 출발하여 1분에 135 m씩 14분을 걸어왔다면 학교까지 남은 거리는 몇 m일까요?

집에서 학교까지의 거리: __2500__

명지가 걸어온 거리: __135×14=1890__

남은 거리: __2500-1890=610__

답: __610 m__

③ 사과가 한 상자에 132개씩 25상자가 있고, 배는 한 상자에 85개씩 43상자가 있습니다. 배는 사과보다 몇 개 더 많을까요?

사과의 수: __132×25=3300__

배의 수: __85×43=3655__

두 과일 수의 차: __3655-3300=355__

답: __355개__

P 42 ~ 43

5일 곱셈의 활용 (2)

> 곱셈으로 구하는 것을 먼저 구한 후에 그 값을 더하거나 빼야 해.

🌸 알맞은 풀이를 쓰고 답을 구하세요.

○ 현호가 삼촌에게 용돈 10000원을 받았습니다. 현호는 그 돈으로 한 자루에 400원짜리 연필 18자루를 샀습니다. 현호에게 남은 돈은 얼마일까요?

풀이: (현호가 받은 용돈) = 10000원
(연필을 산 금액) = 400 × 18 = 7200(원)
(남은 금액)
= 10000 − 7200 = 2800(원)

답: __2800원__

② 한 권에 180쪽짜리 만화책이 25권까지 있습니다. 성우가 이 만화책을 하루에 120쪽씩 4주 동안 읽었습니다. 성우가 더 읽어야 하는 만화책은 몇 쪽일까요?

풀이: (만화책 쪽수) = 180 × 25 = 4500(쪽)
(성우가 읽은 쪽수) = 120 × 28 = 3360(쪽)
(남은 쪽수)
= 4500 − 3360 = 1140 (쪽)

답: __1140쪽__

① 한 팩에 250 mL가 들어 있는 우유 15팩, 한 캔에 355 mL가 들어 있는 주스 24캔이 있습니다. 우유와 주스는 모두 몇 mL일까요?

풀이: (우유의 양) = 250 × 15 = 3750 (mL)
(주스의 양) = 355 × 24 = 8520 (mL)
(우유와 주스의 총량)
= 3750 + 8520 = 12270 (mL)

답: __12270 mL__

③ 냉면집에서 한 봉지에 570 g이 들어 있는 밀가루 14봉지, 한 봉지에 480 g이 들어 있는 메밀가루 55봉지를 사용했습니다. 냉면집에서 사용한 밀가루와 메밀가루는 모두 몇 g일까요?

풀이: (밀가루 무게) = 570 × 14 = 7980 (g)
(메밀가루 무게) = 480 × 55 = 26400 (g)
(밀가루와 메밀가루의 총 무게)
= 7980 + 26400 = 34380 (g)

답: __34380 g__

P 44 ~ 45

확인학습

✏️ 알맞은 식을 쓰고 답을 구하세요.

① 연필 한 자루의 가격은 870원입니다. 연필 50자루의 가격은 모두 얼마일까요?

식: __870×50=43500__   답: __43500원__

② 한 바퀴의 길이가 725 m인 공원이 있습니다. 주원이가 이 공원을 걸어서 20바퀴 돌았다면 모두 몇 m를 걸었을까요?

식: __725×20=14500__   답: __14500 m__

✏️ 알맞은 식을 쓰고 답을 구하세요.

③ 선물 상자 하나를 포장하는 데 포장 끈이 43 cm 필요합니다. 선물 상자 188개를 포장하는 데 필요한 포장 끈은 모두 몇 cm일까요?

식: __43×188=8084__   답: __8084 cm__

④ 현태는 하루에 680원씩 저금통에 넣으려고 합니다. 현태가 45일 동안 모을 수 있는 돈은 모두 얼마일까요?

식: __680×45=30600__   답: __30600원__

✏️ 알맞은 풀이를 쓰고 답을 구하세요.

⑤ 창호는 한 달 동안 우표 125장을 모으려고 합니다. 창호가 12달 동안 모을 수 있는 우표는 모두 몇 장일까요?

풀이: (모을 수 있는 총 우표 수)
= (한 달 동안 모으는 우표 수) × (달 수)
= 125 × 12 = 1500 (장)

답: __1500장__

⑥ 과자를 한 봉지에 168개씩 넣었습니다. 40봉지에 들어 있는 과자는 모두 몇 개일까요?

풀이: (과자의 총 수)
= (한 봉지에 들어 있는 과자의 수) × (봉지의 수)
= 168 × 40 = 6720 (개)

답: __6720개__

⑦ 기차 차량 한 칸에 승객 220명이 탈 수 있습니다. 차량 14칸이 연결된 기차에 탈 수 있는 승객은 모두 몇 명일까요?

풀이: (탈 수 있는 총 승객 수)
= (한 칸에 탈 수 있는 승객 수) × (차량 수)
= 220 × 14 = 3080 (명)

답: __3080명__

P 46

확인학습

◆ 알맞은 풀이를 쓰고 답을 구하세요.

⑧ 수연이는 500원짜리 동전 27개와 50원짜리 동전 118개를 가지고 있습니다. 수연이가 가진 돈은 모두 얼마일까요?

풀이: (오백원짜리 금액) = $500 \times 27 = 13500$(원)

(오십원짜리 금액) = $50 \times 118 = 5900$(원)

(총 금액)

= $13500 + 5900 = 19400$(원)

답: __19400원__

⑨ 한 바퀴의 길이가 250m인 트랙을 민진이는 19바퀴 돌았고, 원희는 27바퀴 돌았습니다. 원희는 민진이보다 몇 m를 더 돌았을까요?

풀이: (민진이가 돈 거리) = $250 \times 19 = 4750$ (m)

(원희가 돈 거리) = $250 \times 27 = 6750$ (m)

(두 거리의 차)

= $6750 - 4750 = 2000$ (m)

답: __2000 m__

나눗셈

P 48 ~ 49

1일 나머지가 없는 나눗셈

나머지가 0이 되는
상황을 나누어
떨어진다고 말해.

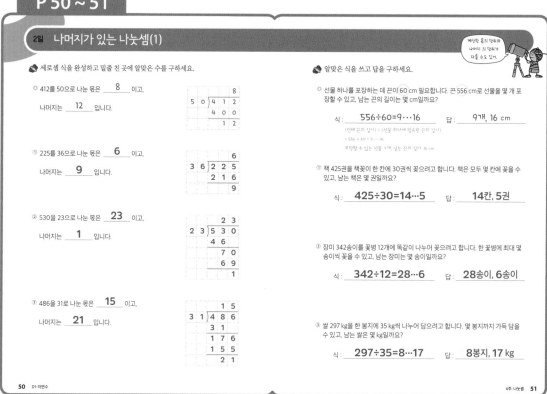

❀ 세로셈 식을 완성하고 밑줄 친 곳에 알맞은 수를 구하세요.

○ 210을 30으로 나눈 몫은 __7__ 입니다.

```
        7
30)210
   210
     0
```

① 189를 21로 나눈 몫은 __9__ 입니다.

```
        9
21)189
   189
     0
```

② 360을 24로 나눈 몫은 __15__ 입니다.

```
       15
24)360
   24
   120
   120
     0
```

③ 432를 16으로 나눈 몫은 __27__ 입니다.

```
       27
16)432
   32
   112
   112
     0
```

❀ 알맞은 식을 쓰고 답을 구하세요.

○ 태웅이가 320쪽인 소설책을 매일 40쪽씩 읽으려고 합니다. 소설책을 다 읽는 데 며칠이 걸릴까요?

식: __320÷40=8__   답: __8일__

(소설책을 다 읽는 데 걸리는 날수)
= (소설책의 쪽수) ÷ (하루에 읽는 쪽수)

① 딸기 720개를 한 상자에 30개씩 나누어 담았습니다. 모두 몇 상자에 나누어 담았을까요?

식: __720÷30=24__   답: __24상자__

② 연필 242자루를 11명에게 똑같이 나누어 주려고 합니다. 한 사람에게 몇 자루씩 나누어 줄 수 있을까요?

식: __242÷11=22__   답: __22자루__

③ 한 대에 42명까지 탈 수 있는 버스에 학생 630명이 모두 타려고 합니다. 버스는 몇 대 필요할까요?

식: __630÷42=15__   답: __15대__

P 50 ~ 51

2일 나머지가 있는 나눗셈(1)

계산한 몫의 단위와
나머지 의 단위가
다를 수도 있어.

❀ 세로셈 식을 완성하고 밑줄 친 곳에 알맞은 수를 구하세요.

○ 412를 50으로 나눈 몫은 __8__ 이고,
나머지는 __12__ 입니다.

```
        8
50)412
   400
    12
```

① 225를 36으로 나눈 몫은 __6__ 이고,
나머지는 __9__ 입니다.

```
        6
36)225
   216
     9
```

② 530을 23으로 나눈 몫은 __23__ 이고,
나머지는 __1__ 입니다.

```
       23
23)530
   46
    70
    69
     1
```

③ 486을 31로 나눈 몫은 __15__ 이고,
나머지는 __21__ 입니다.

```
       15
31)486
   31
   176
   155
    21
```

❀ 알맞은 식을 쓰고 답을 구하세요.

○ 선물 하나를 포장하는 데 끈이 60 cm 필요합니다. 끈 556 cm로 선물을 몇 개 포장할 수 있고, 남는 끈의 길이는 몇 cm일까요?

식: __556÷60=9…16__   답: __9개, 16 cm__

(전체 끈의 길이) ÷ (선물 하나에 필요한 끈의 길이)
= 556 ÷ 60 = 9 … 16
포장할 수 있는 선물 9개, 남는 끈의 길이 16 cm

① 책 425권을 책꽂이 한 칸에 30권씩 꽂으려고 합니다. 책은 모두 몇 칸에 꽂을 수 있고, 남는 책은 몇 권일까요?

식: __425÷30=14…5__   답: __14칸, 5권__

② 장미 342송이를 꽃병 12개에 똑같이 나누어 꽂으려고 합니다. 한 꽃병에 최대 몇 송이씩 꽂을 수 있고, 남는 장미는 몇 송이일까요?

식: __342÷12=28…6__   답: __28송이, 6송이__

③ 쌀 297 kg을 한 봉지에 35 kg씩 나누어 담으려고 합니다. 몇 봉지까지 가득 담을 수 있고, 남는 쌀은 몇 kg일까요?

식: __297÷35=8…17__   답: __8봉지, 17 kg__

P 52 ~ 53

3일 나머지가 있는 나눗셈(2)

알맞은 풀이를 쓰고 답을 구하세요.

◎ 학생 254명이 한 대에 14명까지 탈 수 있는 오리 보트를 타려고 합니다. 학생들이 모두 타려면 오리 보트는 몇 대 필요할까요?

풀이: (전체 학생 수) ÷ (한 대에 탈 수 있는 학생 수)
= 254 ÷ 14 = 18 ⋯ 2
(필요한 보트 수) = 18 + 1 = 19(대)

답: **19대**

① 체리 450개를 한 상자에 36개씩 포장하여 팔려고 합니다. 팔 수 있는 체리는 모두 몇 상자이고, 남는 체리는 몇 개일까요?

풀이: (전체 체리 수) ÷ (한 상자에 들어가는 체리 수)
= 450 ÷ 36 = 12 ⋯ 18
(상자 수) = 12상자, (남는 체리) = 18개

답: **12상자, 18개**

② 꽃봄이는 376쪽까지 있는 소설책을 하루에 24쪽씩 읽으려고 합니다. 소설책을 다 읽는 데 모두 며칠이 걸릴까요?

풀이: (전체 쪽수) ÷ (하루에 읽는 쪽수)
= 376 ÷ 24 = 15 ⋯ 16
(걸리는 날수) = 15 + 1 = 16(일)

답: **16일**

③ 생수 429 L를 한 통에 20 L씩 담아서 팔려고 합니다. 팔 수 있는 생수는 모두 몇 통일까요?

풀이: (전체 생수의 양) ÷ (한 통에 담는 생수의 양)
= 429 ÷ 20 = 21 ⋯ 9
(팔 수 있는 통 수) = 21통

답: **21통**

④ 학생 369명이 한 줄에 15명씩 줄을 서 있습니다. 학생들은 모두 몇 줄로 서 있을까요?

풀이: (전체 학생 수) ÷ (한 줄에 서 있는 학생 수)
= 369 ÷ 15 = 24 ⋯ 9
(줄의 수) = 24 + 1 = 25(줄)

답: **25줄**

⑤ 길이가 5 m인 끈으로 선물을 포장하려고 합니다. 선물 하나를 포장하는 데 18 cm가 필요하다면 선물을 몇 개 포장할 수 있고, 남는 끈은 몇 cm일까요?

풀이: (전체 끈의 길이) ÷ (선물 하나에 필요한 끈의 길이)
= 500 ÷ 18 = 27 ⋯ 14
(선물 수) = 27개, (남는 끈의 길이) = 14 cm

답: **27개, 14 cm**

P 54 ~ 55

4일 나누어지는 수 구하기

□가 있는 나눗셈식과 검산식을 쓰고 답을 구하세요.

◎ 어떤 수를 30으로 나누었더니 몫이 7, 나머지가 15가 되었습니다. 어떤 수는 얼마일까요?

나눗셈식: $\square \div 30 = 7 \cdots 15$

검산식: 30×7=210, 210+15=225　답: **225**

① 어떤 수를 25로 나누었더니 몫이 11, 나머지가 18이 되었습니다. 어떤 수는 얼마일까요?

나눗셈식: $\square \div 25 = 11 \cdots 18$

검산식: 25×11=275, 275+18=293　답: **293**

② 어떤 수를 17로 나누었더니 몫이 24, 나머지가 5가 되었습니다. 어떤 수는 얼마일까요?

나눗셈식: $\square \div 17 = 24 \cdots 5$

검산식: 17×24=408, 408+5=413　답: **413**

□가 있는 나눗셈식과 검산식을 쓰고 답을 구하세요.

◎ 색종이를 15명에게 똑같이 나누어 주었더니 한 명당 46장씩 나누어 주고, 10장이 남았습니다. 색종이는 모두 몇 장일까요?

나눗셈식: $\square \div 15 = 46 \cdots 10$

검산식: 15×46=690, 690+10=700　답: **700장**

① 포도를 한 상자에 22송이씩 나누어 담았더니 8상자에 가득 담고, 15송이가 남았습니다. 포도는 모두 몇 송이일까요?

나눗셈식: $\square \div 22 = 8 \cdots 15$

검산식: 22×8=176, 176+15=191　답: **191송이**

② 선물 하나를 포장하는 데 필요한 색 테이프는 40 cm입니다. 색 테이프로 선물 6개를 포장하고 36 cm가 남았다면 색 테이프는 모두 몇 cm일까요?

나눗셈식: $\square \div 40 = 6 \cdots 36$

검산식: 40×6=240, 240+36=276　답: **276 cm**

나눗셈

5일 나눗셈의 활용

구해야 하는 어떤
수를 □로 하는 식을
세워 봐.

❀ 알맞은 풀이를 쓰고 답을 구하세요.

어떤 수를 13으로 나누어야 할 것을 잘못하여 곱하였더니 975가 되었습니다. 바르게 계산한 몫과 나머지를 각각 구하세요.

풀이 : □ × 13 = 975
975 ÷ 13 = 75
(어떤 수) = 75
75 ÷ 13 = 5 ⋯ 10

답 : __5, 10__

① 어떤 수에 27을 곱해야 할 것을 잘못하여 나누었더니 몫이 5, 나머지는 12였습니다. 바르게 계산한 값을 구하세요.

풀이 : □÷27=5⋯12
27×5=135, 135+12=147
(어떤 수) = 147
147×27=3969

답 : __3969__

② 찰흙을 한 사람에게 15 kg씩 나누어 주었더니 55명에게 나누어 주고 4 kg이 남았습니다. 찰흙은 모두 몇 kg일까요?

풀이 : □÷15=55⋯4
15×55=825, 825+4=829
(찰흙의 양) = 829 kg

답 : __829__ kg

③ 지홍이가 가진 돈으로 하나에 70원짜리 스티커를 최대한 많이 사려고 합니다. 스티커 13장을 사고 40원이 남았다면 지홍이가 가지고 있던 돈은 얼마였을까요?

풀이 : □÷70=13⋯40
70×13=910, 910+40=950
(원래 가진 돈) = 950원

답 : __950원__

확인학습

✏ 알맞은 식을 쓰고 답을 구하세요.

① 700원으로 하나에 50원인 주사위를 사려고 합니다. 주사위를 몇 개까지 살 수 있을까요?

식 : __700÷50=14__   답 : __14개__

② 한 대에 14명이 탈 수 있는 고무 보트가 있습니다. 학생 476명이 모두 타려면 고무 보트는 몇 대 필요할까요?

식 : __476÷14=34__   답 : __34대__

✏ 알맞은 식을 쓰고 답을 구하세요.

③ 음료수 720 mL를 25 mL 들이 작은 컵에 나누어 담으려고 합니다. 몇 컵까지 담을 수 있고, 남는 음료수는 몇 mL일까요?

식 : __720÷25=28⋯20__   답 : __28컵, 20 mL__

④ 돼지 427마리를 14개의 우리에 똑같이 나누어 넣으려고 합니다. 한 우리에 최대 몇 마리씩 넣을 수 있고, 몇 마리가 남을까요?

식 : __427÷14=30⋯7__   답 : __30마리, 7마리__

✏ 알맞은 풀이를 쓰고 답을 구하세요.

⑤ 연필 135자루를 한 상자에 12자루씩 포장하려고 합니다. 연필을 최대 몇 상자까지 포장할 수 있을까요?

풀이 : (전체 연필의 수) ÷ (한 상자에 포장하는 연필의 수)
= 135 ÷ 12 = 11 ⋯ 3
(포장할 수 있는 상자 수) = 11상자

답 : __11상자__

⑥ 공책 277권을 학생 13명에게 똑같이 나누어 주려고 합니다. 공책을 최대 몇 권까지 나누어 줄 수 있고, 몇 권이 남을까요?

풀이 : (전체 공책 수) ÷ (학생 수)
= 277 ÷ 13 = 21 ⋯ 4
(한 명당 공책 수) = 21권, (남는 공책 수) = 4권

답 : __21권, 4권__

⑦ 테니스 공 508개를 한 봉지에 35개씩 넣으려고 합니다. 테니스 공을 모두 넣으려면 몇 봉지가 필요할까요?

풀이 : (전체 테니스 공의 수) ÷ (한 봉지에 넣는 테니스 공의 수)
= 508 ÷ 35 = 14 ⋯ 18
(봉지의 수) = 14 + 1 = 15(봉지)

답 : __15봉지__

P 60

확인학습

◆ □가 있는 나눗셈식과 검산식을 쓰고 답을 구하세요.

⑧ 어떤 수를 20으로 나누었더니 몫이 18, 나머지가 11이 되었습니다. 어떤 수는 얼마일까요?

나눗셈식 : **□÷20=18…11**

검산식 : **20×18=360, 360+11=371** 답 : **371**

⑨ 수험생이 한 교실에 36명씩 들어갔더니 교실 7개가 가득 찼고, 9명이 남았습니다. 수험생은 모두 몇 명일까요?

나눗셈식 : **□÷36=7…9**

검산식 : **36×7=252, 252+9=261** 답 : **261명**

⑩ 물을 수조 하나에 42 L씩 담았더니 수조 9개가 가득 찼고, 남은 물은 17 L였습니다. 물은 모두 몇 L일까요?

나눗셈식 : **□÷42=9…17**

검산식 : **42×9=378, 378+17=395** 답 : **395 L**

P62 ~ 63

1회차 진단평가

제한 시간 15분
맞은 개수 / 6개

🔑 다음 물음에 답하세요.

① 태경이는 블록 완구를 사려고 10000원짜리 지폐 5장, 1000원짜리 지폐 6장, 100원짜리 동전 8개를 모았습니다. 태경이가 모은 돈은 모두 얼마일까요?

답 : **56800원**

② 초이는 10000원짜리 지폐 9장, 100원짜리 동전 25개, 10원짜리 동전 3개를 저금하였습니다. 초이가 저금한 돈은 모두 얼마일까요?

답 : **92530원**

🔑 수 카드를 한 번씩만 써서 가장 큰 수와 가장 작은 수를 각각 만들어 보세요.

③ 9 2 4 0 1 7

가장 큰 수 : **974210**   가장 작은 수 : **102479**

④ 2 3 8 7 1 5 6 4

가장 큰 수 : **87654321**   가장 작은 수 : **12345678**

🔑 알맞은 식을 쓰고 답을 구하세요.

⑤ 어느 국립 공원의 어린이 입장료는 350원이고, 어른 입장료는 900원입니다. 이 공원에 어린이 21명, 어른 13명이 입장할 때 입장료는 모두 얼마일까요?

어린이 입장료 : **350×21=7350**

어른 입장료 : **900×13=11700**

총 입장료 : **7350+11700=19050**

답 : **19050원**

🔑 알맞은 풀이를 쓰고 답을 구하세요.

⑥ 소금 597 kg을 한 자루에 16kg 씩 담으려고 합니다. 소금을 남김없이 모두 담으려면 몇 자루가 필요할까요?

풀이 : (전체 소금의 양) ÷ (한 자루에 담는 소금의 양)
= 597 ÷ 16 = 37 … 5
(자루의 수) = 37 + 1 = 38(자루)

답 : **38자루**

P64 ~ 65

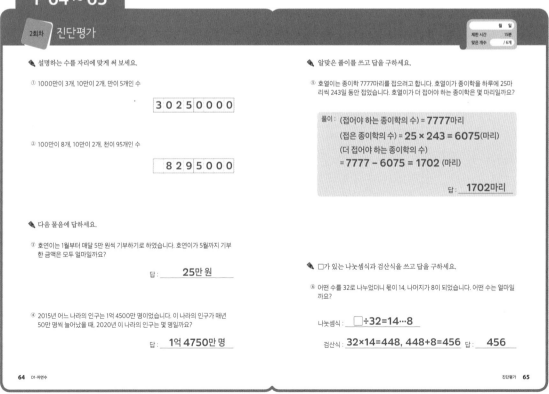

2회차 진단평가

제한 시간 15분
맞은 개수 / 6개

🔑 설명하는 수를 자리에 맞게 써 보세요.

① 1000만이 3개, 10만이 2개, 만이 5개인 수

3 0 2 5 0 0 0 0

② 100만이 8개, 10만이 2개, 천이 95개인 수

8 2 9 5 0 0 0

🔑 다음 물음에 답하세요.

③ 호연이는 1월부터 매달 5만 원씩 기부하기로 하였습니다. 호연이가 5월까지 기부한 금액은 모두 얼마일까요?

답 : **25만 원**

④ 2015년 어느 나라의 인구는 1억 4500만 명이었습니다. 이 나라의 인구가 매년 50만 명씩 늘어났을 때, 2020년 이 나라의 인구는 몇 명일까요?

답 : **1억 4750만 명**

🔑 알맞은 풀이를 쓰고 답을 구하세요.

⑤ 호열이는 종이학 7777마리를 접으려고 합니다. 호열이가 종이학을 하루에 25마리씩 243일 동안 접었습니다. 호열이가 더 접어야 하는 종이학은 몇 마리일까요?

풀이 : (접어야 하는 종이학의 수) = **7777**마리
(접은 종이학의 수) = **25 × 243 = 6075**(마리)
(더 접어야 하는 종이학의 수)
= **7777 − 6075 = 1702** (마리)

답 : **1702마리**

🔑 □가 있는 나눗셈식과 검산식을 쓰고 답을 구하세요.

⑥ 어떤 수를 32로 나누었더니 몫이 14, 나머지가 8이 되었습니다. 어떤 수는 얼마일까요?

나눗셈식 : **□÷32=14…8**

검산식 : **32×14=448, 448+8=456** 답 : **456**

P 66 ~ 67

3회차 진단평가

월 일 / 제한 시간 15분 / 맞은 개수 /7개

✎ 밑줄 친 수를 자리에 맞게 써 보세요.

① 861회 로또복권 1등 당첨금은 <u>48억 7200만</u> 원입니다.

	4	8	7	2	0	0	0	0	0

② 2019년 독일의 연간 수출액은 약 <u>1조 5609억 8300만</u> 달러입니다.

1	5	6	0	9	8	3	0	0	0	0	0	0

✎ 다음 물음에 답하세요.

③ 어떤 수에서 50만씩 7번 뛰어 센 수가 825만이었습니다. 어떤 수는 얼마일까요?

답 : **475만**

④ 어떤 수에서 1000억씩 5번 뛰어 센 수가 2조 8800억이었습니다. 어떤 수는 얼마일까요?

답 : **2조 3800억**

✎ 알맞은 식을 쓰고 답을 구하세요.

⑤ 주민이가 50원짜리 동전을 234개 모았습니다. 주민이가 모은 돈은 모두 얼마일까요?

식 : **50×234=11700**　　답 : **11700원**

⑥ 종오는 매일 135분씩 책을 읽습니다. 종오가 4월 한 달 동안 책을 읽은 시간은 몇 분일까요?

식 : **135×30=4050**　　답 : **4050분**

✎ 알맞은 풀이를 쓰고 답을 구하세요.

⑦ 어떤 수를 32로 나누어야 할 것을 잘못하여 23으로 나누었더니 몫이 20이었습니다. 바르게 계산한 몫과 나머지를 각각 구하세요.

풀이 : □÷23=20
23×20=460
(어떤 수) = 460
460÷32=14…12

답 : **14, 12**

P 68 ~ 69

4회차 진단평가

월 일 / 제한 시간 15분 / 맞은 개수 /8개

✎ 다음 물음에 답하세요.

① 금고에 100만 원짜리 수표 1000장이 들어 있습니다. 금고에 있는 돈은 모두 얼마일까요?

답 : **10억 원**

② 학교에서 10만 원짜리 문화상품권을 530장 나누어 주었습니다. 학교에서 나누어 준 문화상품권은 모두 얼마어치일까요?

답 : **5300만 원**

✎ 다음 물음에 답하세요.

③ 어느 영화의 오늘까지 입장 관객 수는 850만 명이었습니다. 앞으로 매주 50만 명이 이 영화를 본다면 입장 관객 수가 1000만 명이 되는 데 몇 주가 걸릴까요?

답 : **3주**

④ 로이네 반에서 매달 25만 원씩 모아 150만 원을 환경 보호 단체에 기부하려고 합니다. 로이네 반에서 돈을 몇 달 동안 모아야 할까요?

답 : **6달**

✎ 알맞은 식을 쓰고 답을 구하세요.

⑤ 자동차 공장에서 하루에 만드는 자동차는 353대입니다. 이 공장에서 5월 한 달 동안 만들 수 있는 자동차는 모두 몇 대일까요?

식 : **353×31=10943**　　답 : **10943대**

⑥ 무게가 498 kg인 철근이 64개 있습니다. 철근의 무게는 모두 몇 kg일까요?

식 : **498×64=31872**　　답 : **31872 kg**

✎ 알맞은 식을 쓰고 답을 구하세요.

⑦ 색종이 180장을 20명에게 똑같이 나누어 주려고 합니다. 한 사람에게 몇 장씩 나누어 줄 수 있을까요?

식 : **180÷20=9**　　답 : **9장**

⑧ 종이 테이프 756 cm를 똑같은 길이인 63도막으로 나누려고 합니다. 한 도막의 길이는 몇 cm가 될까요?

식 : **756÷63=12**　　답 : **12 cm**

P 70 ~ 71

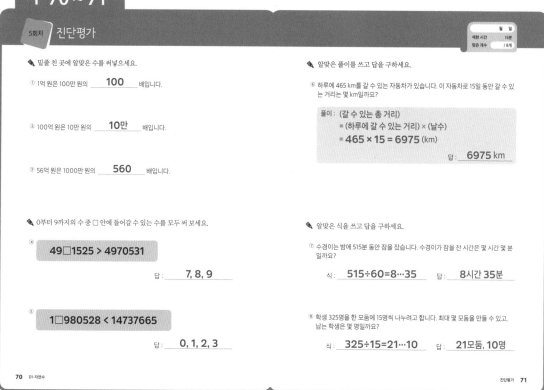

5회차 진단평가

월 일
제한 시간 15분
맞은 개수 / 8개

✎ 밑줄 친 곳에 알맞은 수를 써넣으세요.

① 1억 원은 100만 원의 __100__ 배입니다.

② 100억 원은 10만 원의 __10만__ 배입니다.

③ 56억 원은 1000만 원의 __560__ 배입니다.

✎ 0부터 9까지의 수 중 □ 안에 들어갈 수 있는 수를 모두 써 보세요.

④
49□1525 > 4970531

답 : __7, 8, 9__

⑤
1□980528 < 14737665

답 : __0, 1, 2, 3__

✎ 알맞은 풀이를 쓰고 답을 구하세요.

⑥ 하루에 465 km를 갈 수 있는 자동차가 있습니다. 이 자동차로 15일 동안 갈 수 있는 거리는 몇 km일까요?

풀이 : (갈 수 있는 총 거리)
= (하루에 갈 수 있는 거리) × (날수)
= 465 × 15 = 6975 (km)

답 : __6975__ km

✎ 알맞은 식을 쓰고 답을 구하세요.

⑦ 수경이는 밤에 515분 동안 잠을 잤습니다. 수경이가 잠을 잔 시간은 몇 시간 몇 분일까요?

식 : __515÷60=8…35__   답 : __8시간 35분__

⑧ 학생 325명을 한 모둠에 15명씩 나누려고 합니다. 최대 몇 모둠을 만들 수 있고, 남는 학생은 몇 명일까요?

식 : __325÷15=21…10__   답 : __21모둠, 10명__

70 D1-자연수

진단평가 71

> ## "
> # The essence of mathematics
> # is its freedom.
> ## "

"수학의 본질은 그 자유로움에 있다."

Georg Cantor, 게오르크 칸토어